小学生语文新课标必读丛书

西游记

主编／刘敬余

改编／康顺韬

北京出版集团公司
北京教育出版社

本套丛书紧扣语文新课程标准，针对小学低年级学生的特点，以认知与积累为重点，精心设计栏目，让学生在阅读中提升阅读能力和写作能力。

精彩栏目

好词积累卡
让小学生养成在阅读中随时积累动词、形容词、成语的好习惯。

好句积累卡
在阅读中摘录描写生动的比喻句、拟人句。

照样子 写句子
让小学生学会仿写文章中具体生动的句子。

日积月累
让小学生发现、积累文章中的反义词、近义词。

读一读 写一写
训练小学生照样子写词语的能力，丰富小学生的语言资料库。

想一想
让小学生养成一边读故事，一边思考的好习惯。

阅读心得
让小学生读故事，谈体会，写收获。

图书在版编目（CIP）数据

西游记 / 刘敬余主编. —北京：北京教育出版社, 2012.6
（小学生语文新课标必读丛书）
ISBN 978-7-5522-0200-7

Ⅰ.①西… Ⅱ.①刘… Ⅲ.①章回小说 – 中国 – 明代 – 缩写
Ⅳ.①I242.4

中国版本图书馆CIP数据核字（2012）第096301号

小学生语文新课标必读丛书

西游记

主编／刘敬余

*

北京出版集团公司
北京教育出版社　出版
（北京北三环中路6号）
邮政编码：100120
网址：www.bph.com.cn
北京出版集团公司总发行
全国各地书店经销
北京世艺印刷有限公司印刷

*

880mm×1230mm　32开本　7印张　120千字
2012年6月第1版　2018年3月第17次印刷

ISBN 978-7-5522-0200-7
定价：13.80元

导读

　　《西游记》产生于明代，是吴承恩所作。故事从孙悟空出世大闹天宫，写到孙悟空、猪八戒、沙僧保护师父唐僧去西天取经，一路历尽艰辛，降妖伏魔，扶善除恶，经过了九九八十一难，终于取回真经，修成"正果"。该书全面反映了当时的社会生活和奇异风俗。情节离奇曲折、变化多端，人物形象活灵活现，语言生动诙谐，是我国古典文学中最优秀的少年读物之一。

　　现在，我们根据儿童的阅读水平和思维特点，将这部文学名著进行整理，选取了原著中精彩的篇章，运用通俗的语言，加注汉语拼音，编写成这本新版《西游记》，奉献给广大小朋友们。在编写过程中，我们去除了那些深奥的文字内容，注重增强故事的可读性和情节的合理衔接，以便激发小朋友的读书兴趣，培养小朋友们的基本文学素养。同时，本书还配有大量彩色卡通图片，使小朋友们身临其境，给小朋友们充分发挥想象的空间。

　　愿这本《西游记》能够让小朋友们真切地感受到中国古典文学的无穷魅力，使他们在快乐的阅读中增长知识、开阔视野。

人物介绍

唐 僧

唐僧是本书的主人公之一，他与三个徒弟历经九九八十一难，终于取回真经，修成正果。在他的身上，我们可以看到慈悲为怀、信念坚定、无畏艰险……我们要学习他的这些精神，这样才能在自己的人生道路上收获成功。

孙悟空

孙悟空是《西游记》中的灵魂人物。他是富有浪漫主义神话色彩的英雄，也是封建社会里广大劳动人民理想和愿望的美好化身。在他的身上，有着正义、乐观、勇敢等多种可贵的性格，所以他一直受到读者们的喜爱。

猪八戒

猪八戒调皮可爱，虽然有时难免好吃懒做，但却是孙悟空不可缺少的好帮手。在他的身上，我们看到了忠勇、善良、淳朴、憨厚，他可以说是《西游记》中不朽的经典人物。

目录

contents

一、美猴王出世

这是一个神话故事，传说在很久很久以前，天下分为东胜神洲、西牛贺洲、南赡部洲、北俱芦洲。在东胜神洲傲来国，有一座花果山，山上有一块仙石，一天仙石迸裂，从石头中滚出一个卵，这个卵一见风就变成一个石猴，猴眼中射出一道道金光。

那猴能走能跑，渴了就喝些山涧中的泉水，饿了就吃些山上的果子。它整天和山中的动物一起玩乐，过得十分快活。一天，天气特别热，猴子们为了躲避炎热的天气，跑到山涧里洗澡。它们看见这泉水哗哗地流，就顺着涧往前走，去寻找它的源头。

猴子们爬呀、爬呀，走到了尽头，却看见一股瀑布，像是从天而降一样。猴子们觉得惊奇，商量说："哪个敢钻进瀑布，把泉水的源头找出来，又不伤身体，我们就拜他为王。"连喊了三遍，那石猴呼地跳了出来，高声喊道："我进去，我进去！"

那石猴闭眼纵身跳入瀑布，觉得不像是在水中，这才睁开眼，四处打量，发现自己站在一座铁板桥上，桥下的水冲过石孔，从顶上流出去，将洞口遮住，使外面的人看不到里面。石猴走过桥，发现这真是个好地方，石椅、石床、石盆、石碗，样样都有。

这里就像不久以前有人住过一样，是个天然的房子，安静整洁，锅、碗、瓢、盆，整齐地放在炉灶上。正当中有一块石碑，上面刻着：花果山福地，水帘洞洞天。

石猴高兴得不得了，忙转身向外走去，嗖的一下跳出了洞。

猴子们见石猴出来了，身上又一点伤也没有，又惊又喜，把他**团团围住**，争着问他里面的情况。石猴抓抓腮，挠挠痒，**笑嘻嘻**地对大家说："里面没有水，是个安身的好地方，刮大风我们有地方躲，下大雨我们也不怕淋。"猴子们一听，一个个高兴得又蹦又跳。

猴子们随着石猴穿过了瀑布，进入水帘洞中，看见了这么多的好东西，一个个**你争我夺**，拿盆的拿盆，拿碗的拿碗，占灶的占灶，争床的争床，搬过来，移过去，直到精疲力竭为止。猴子们都遵照诺言，拜石猴为王，石猴从此登上王位，自称"美猴王"。

阅读心得

众猴遵守诺言，一致拜孙悟空为大王。我们在生活中也要做到言必行、行必果。

二、学艺拜祖师
èr xué yì bài zǔ shī

měi hóu wáng měi tiān dài zhe hóu zi men yóu shān wán shuǐ　hěn kuài
美猴王每天带着猴子们游山玩水，很快，

sān wǔ bǎi nián guò qù le　　yì tiān zhèng zài wán lè shí　měi hóu wángxiǎng dào zì
三五百年过去了。一天正在玩乐时，美猴王想到自

jǐ jiāng lái nán miǎn yì sǐ　　bù yóu bēi shāng de diào xià yǎn lèi lái　　zhè shí hóu
己将来难免一死，不由悲伤得掉下眼泪来，这时猴

qún zhōng tiào chū ge tōng bèi yuán hóu lái　　shuō　　dài wangxiǎng yào chángshēng bù
群中跳出个通背猿猴来，说："大王想要长生不

lǎo　　zhǐ yǒu qù xué fó　xiān
老，只有去学佛、仙、

shén zhī shù
神之术。"

měi hóu wáng jué dìng zǒu biàn tiān yá
美猴王决定走遍天涯

hǎi jiǎo　　yě yào zhǎo dào shén xiān　xué
海角，也要找到神仙，学

nà cháng shēng bù lǎo de běn lǐng　　dì
那长生不老的本领。第

èr tiān　　hóu zi men wèi tā zuò
二天，猴子们为他做

le yí ge mù fá　　yòu zhǔn
了一个木筏，又准

bèi le yì xiē yě guǒ　　yú
备了一些野果，于

是美猴王告别了群猴们，一个人撑着木筏，奔向汪洋大海。

大概是美猴王的运气好，连日的东南风，将他送到西北岸边。他下了木筏，登上了岸，看见岸边有许多人都在干活，有的捉鱼，有的打天上的大雁，有的挖蛤蜊，有的淘盐，他悄悄地走过去，没想到，吓得那些人将东西一扔，四处逃命。

这一天，他远远地看见一座洞府，只见洞门紧紧地闭着，洞门对面的山冈上立着一块石碑，大约有三丈多高，八尺多宽，上面写着十个大字：灵台方寸山，斜月三星洞。他正在看时，门却忽然打开了，走出来一个仙童。

美猴王赶快走上前，深深地鞠了一躬，说明来意，那仙童说："我师父刚才正要讲道，忽然叫我出来开门，说外面来了个拜师学艺的，原来就是你呀！跟我来吧！"美猴王赶紧整整衣服，恭恭敬敬地跟着仙童进到洞内，来到祖师讲道的法台跟前。祖师给他起名孙悟空。

祖师叫孙悟空拜见了各位师兄，并给孙悟空找了间空房住下。从此孙悟空跟着师兄学习生活常识，修行经典，写字烧香，闲时做些扫地挑水的活。

很快七年过去了，一天，祖师讲道结束后，问悟空想学什么本领。孙悟空不管祖师讲什么求神拜佛、打坐修行，只要一听不能长生不老，就不愿意学，菩提祖师对此非常生气。

祖师从高台上跳了下来，手里拿着戒尺指着孙悟空说："你这猴子，这也不学，那也不学，你要学些什么？"说完走过去在孙悟空头上打了三下，倒背着手走回观里。

孙悟空知道了师父的用意，当天晚上，悟空假装睡着了，一到半夜，就悄悄起来，从前门出去，等到三更，绕到后门口，看见门半开半闭，高兴得不得了，心想："哈哈，我没有猜错师父的意思。"

孙悟空走了进去，看见祖师面朝里睡着，就跪在床前说："师父，我跪在这里等着您呢！"祖师听见声音就起来了，盘着腿坐好后，严厉地问孙悟空来做什么，悟空说："师父白天当着大家的面不是答应我，让我三更时从后门进来，教我长生不老的法术吗？"

菩提祖师听到这话心里很高兴。心想："这个猴子果然是天地生成的，不然，怎么能猜透我的暗谜。"于是，让孙悟空跪在床前，教给他长生不老的法术。孙悟空洗耳恭听，用心理解，牢牢记住口诀，并拜谢了祖师的恩情。

很快三年又过去了，祖师又教了孙悟空七十二般变化的法术和驾筋斗云的本领。孙悟空学会了驾筋斗云的本领，一个筋斗便能翻出十万八千里。

有一个夏天，孙悟空和师兄们在洞门前玩耍，大家要孙悟空变个东西看看，孙悟空心里感到很高兴，**得意**地念起咒语，摇身一变，变成了一棵大树。师兄们见了，鼓着掌称赞他。

大家的吵闹声让菩提祖师听到了，他看孙悟空刚刚学会了一些本领，就卖弄起来，十分生气。祖师叫其他人离开，把悟空狠狠地教训了一顿，并且要把孙悟空赶走。孙悟空着急了，**哀求**祖师不要赶他走，祖师却不肯留下他，并要他立下誓言：任何时候都不能说孙悟空是菩提祖师的徒弟。

阅读心·得

孙悟空刚学到一些本领，就到处炫耀，骄傲自满，我们要做谦虚的好孩子。

好词积累卡

动词

悲伤　高兴

三、借宝闯龙宫

孙悟空见没办法留下来，就拜别了菩提祖师，又和各位师兄告别，然后念了口诀，驾着筋斗云，不到一个时辰，就回到了花果山水帘洞，看到花果山上一片荒凉破败的景象，很是凄惨。

原来孙悟空走了以后，有一个混世魔王独占了水帘洞，并且抢走了许多猴子猴孙。孙悟空听到这些以后，气得咬牙跺脚。他问清了混世魔王的住处，决定找混世魔王报仇，便驾着筋斗云，朝北方飞去。

不一会儿，孙悟空就来到混世魔王的水脏洞前，对门前的小妖喊道："你家那个狗屁魔王，多次欺负我们猴子。我今天来，要和那魔王比比高低！"小妖跑进洞里，报告魔王。魔王急忙穿上铁甲，提着大刀，在小妖们的簇拥下走出洞门。

孙悟空赤手空拳，见魔王朝自己劈头就砍，便拔下一把毫毛，咬碎喷了出去，毫毛变成许多小猴子，夺过了混世魔王的大刀，把他劈成了两半，然后带领小猴直杀进洞里，把所有的妖精全杀死了，最后救出被抢走的小猴子。孙悟空放了一把火烧了水脏洞。

孙悟空收回毫毛，让小猴子们闭上眼睛，念起了咒语，一阵狂风刮过，他们驾着狂风回到了花果山。从此，孙悟空便叫小猴子们做了些竹枪和木刀，并用夺来的大刀教他们武艺。没过多久，孙悟空觉得竹枪木刀不能打仗，两个猴子告诉他，傲来国里肯定有好的兵器。

孙悟空驾云来到傲来国上空，念起咒语，天空立即刮起狂风，沙石乱飞，把满城的军民吓得不敢出来。他趁机跑进兵器库，拔了把毫毛，放入口中嚼烂，喷了出去，变出上千个小猴，乱搬乱抢。悟空见差不多了，便把风向一变，回了花果山。

从此以后，花果山水帘洞的名气就更大了，所有的妖怪头子，即七十二洞的洞主都来拜见孙悟空。可是，悟空却有一件事不顺心，嫌那口大刀太轻，不好用。四只老猿猴告诉悟空，水帘洞桥下，可直通东海龙宫，叫他去找龙王要一件得心应手的兵器。

悟空立刻来到东海龙宫，给老龙王敖广讲明了来这儿的目的。龙王不好推辞，命虾兵们取出一把大悍刀，悟空不会用刀，龙王又叫虾兵们抬出一杆

sān qiān liù bǎi jīn zhòng de jiǔ gǔ chā　wù kōng
三千六百斤重的九股叉，悟空

jiē guò lái wán le yí zhèn　xián
接过来玩了一阵，嫌

tā tài qīng　lóng wáng yòu
它太轻。龙王又

mìng lìng xiè jiàng men tái
命令蟹将们抬

chū yì bǐng qī qiān èr bǎi
出一柄七千二百

jīn zhòng de fāng tiān huà
斤重的方天画

jǐ　wù kōng yí jiàn
戟，悟空一见，

réng rán xián tā tài qīng
仍然嫌它太轻。

lóng wáng shuō　zài yě
龙王说："再也

méi yǒu bǐ zhè gèng zhòng de bīng qì
没有比这更重的兵器

le　wù kōng bú xìn　hé lóng wáng chǎo le qǐ lái　lóng pó gēn lóng wáng shuō
了。"悟空不信，和龙王吵了起来，龙婆跟龙王说：

dà yǔ zhì shuǐ shí　cè dìng hǎi shuǐ shēn qiǎn de shén tiě zuì jìn zǒng shì fàng guāng
"大禹治水时，测定海水深浅的神铁最近总是放光，

jiù bǎ zhè gěi tā　guǎn tā néng bu néng yòng　dǎ fa zǒu tā suàn le　lóng wáng tīng
就把这给他，管他能不能用，打发走他算了。"龙王听

hòu gào su wù kōng　zhè bǎo wù tài zhòng le　nǐ zì jǐ qù qǔ ba
后告诉悟空："这宝物太重了，你自己去取吧！"

sūn wù kōng gēn lóng wáng lái dào hǎi dǐ　lóng wáng yòng shǒu yì zhǐ shuō　fàng
孙悟空跟龙王来到海底，龙王用手一指说："放

guāng de jiù shì　wù kōng jiàn shén tiě jīn guāng sì shè　jiù zǒu guò qù yòng shǒu
光的就是。"悟空见神铁金光四射，就走过去用手

一摸，原来是根铁柱子，有斗一样粗，二丈多长。

孙悟空使劲用手搬了搬说："太粗了，太长了，要是再短些，再细一些，就好了。"

孙悟空话还没有说完，那个宝贝就短了几尺，也细了一圈。孙悟空看了看说："再细些就更好了。"

那个宝贝真的又细了许多，悟空拿过来，见上面写着：如意金箍棒，重一万三千五百斤。他顺手玩了一会儿，觉得十分好用。

回到水晶宫，孙悟空又要龙王送一身相配的衣服。龙王实在没有，但又害怕悟空乱打乱闹，只好敲响应急的金钟，叫来南、北、西三海龙王敖钦、敖顺和敖闰，兄弟三人凑了一副锁子黄金甲、一顶凤翅紫金冠、一双藕丝步云鞋，送给悟空。

回到花果山，悟空把那根金箍棒变成绣花针一样大小，藏到耳朵中。

一天，他宴请所有的妖王吃饭，喝醉了，在桥边的松树下睡觉，**迷迷糊糊**地见两个人手里拿着写有"孙悟空"的批文，走到他身边，也不说话，把他用绳索套上，拉起来就走。

悟空糊里糊涂跟他们来到一座城门外，看见城楼上有一块牌子，牌子上写着"幽冥界"三个大字，知道这里是阎王住的地方，转身就要走，两个勾魂鬼死死拉住他，非要让他进去。孙悟空一着急，从耳朵中掏出了金箍棒，把两个勾魂鬼打成了肉酱。

他**甩掉**套在身上的绳套，挥着金箍棒直打到城里，又一直打到森罗殿前，十位冥王见悟空长得十分凶恶，吓得不知道该怎么办。悟空说："你们既然坐在王位上，就应该有点灵气，为什么不知道好歹？俺老孙已经修成仙道，能长生不老。快拿生死簿来！"十位冥王赶快叫判官拿出生死簿来查。

悟空登上森罗殿，一直查到第一千三百五十号，才找到了自己的名字，顺手拿起笔把所有猴子

de míng zi tōng tōng gōu diào　shuō　　zhè xià hǎo jí le　　hǎo jí le　　jīn hòu
的名字通通勾掉，说："这下好极了，好极了，今后

zài yě bù guī nǐ men guǎn le　　shuō wán yòu yí lù dǎ chū le yōu míng jiè　　shí
再也不归你们管了。"说完又一路打出了幽冥界。十

wèi míng wáng gǎn máng dào cuì yún gōng qù jiàn dì zàng wáng pú sà　　shāng liang rú hé
位冥王赶忙到翠云宫去见地藏王菩萨，商量如何

xiàng yù huáng dà dì bào gào
向玉皇大帝报告。

阅读心·得

　　孙悟空从混世魔王那里救出了花果山的小猴子，不愧
是猴王！我们也要学会保护弱小的同学。

读一读　写一写

迷迷糊糊

四、大圣闹天宫

sì dà shèng nào tiān gōng

冥司阎王和龙王先后来找玉皇大帝，状告孙悟空大闹龙宫和地府。玉帝正要派天兵天将到人间去收伏孙悟空。这时，太白金星走了出来，给玉帝出了个主意，说不如随便给他一个官职，把他困在天上，玉帝同意了，命文曲星写了一封诏书，叫太白金星请悟空上天。

太白金星奉命来到花果山，宣读圣旨。孙悟空听了十分高兴，就命令猴子们看家，自己跟着太白金星驾着云来到灵霄殿上。太白金星向玉帝行了礼，说："悟空来了。"玉帝问："谁是悟空？"悟空听了，既不行礼，也不跪拜，随便答应了一声："我就是。"其他神仙见悟空没有礼貌，都非常生气。

玉帝对悟空没有办法，听了武曲星君的建议，封悟空做弼马温，让悟空给玉帝看马。这个官职在天上是最小的，悟空过了半个月才知道。一气之下，他便拿出金箍棒，杀出南天门，回到花果山，自封"齐天大圣"。还做了一面大旗，插在花果山上。

玉帝听说孙悟空又回到花果山，马上命令托塔李天王和哪吒三太子带兵去捉拿悟空。不想哪吒没打几个回合，就被孙悟空打败了。

玉帝知道这些消息后十分生气，准备多派些兵将，再去和孙悟空打。这时太白金星又出了个主意说："不如封孙悟空一个有名无权的齐天大圣，什么事也不让他管，只把他留在天上，免得再派人去打，伤了兵将。"玉帝听了觉得有理，于是派太白金星去讲和。

悟空听说后，十分高兴，跟太白金星又一次来到天宫。玉帝马上让人在蟠桃园右侧为孙悟空修了一座齐天大圣府。孙悟空到底是个猴子，只知道名声好听，也不问有没有实权，整天和天神们以兄弟相称，在府内吃喝玩乐，今天东游游，明天西转转，自由自在。

时间长了，玉帝怕悟空闲着没事惹麻烦，就让他去管蟠桃园。这桃园前、中、后各有桃树一千二百株。前面的树三千年结果成熟，吃了可以成仙；中间的树六千年结果成熟，吃了能长生不老；后面的树九千年结果成熟，吃了以后可以跟日月同辉，天地齐寿。

一天，他见园中的桃子大部分都熟了，就想尝个鲜，便偷偷地跑进园子，脱了衣服，爬上大树，挑熟透的大桃吃了个饱。从此以后，每隔两三天，他就设法偷吃一次桃。

过了几个月，每年一次的蟠桃会到了。这一天，七位仙女奉王母娘娘之命进园摘桃。恰巧这时孙悟空吃桃吃饱了，感到有点困，就变成二寸来长的小人，在大树梢上，找个凉快的地方睡着了。七位仙女见园中的熟桃不多，便四处寻找，找了好长一段时间，最后在一棵大树梢上发现有个熟透的桃，就把桃摘下来。

没想到悟空正好睡在这棵树上，被惊醒了，变回原来的样子。他拿出金箍棒叫了声："谁敢偷桃？"吓得七位仙女一齐跪下，说明了来这儿的原因。悟空问蟠桃会请了什么人，当他知道没有自己时，十分生气。

他用定身法把七位仙女定住，然后驾着云来到瑶池。这时赶来赴宴的众仙还没有到，只有仙童们在摆设宴席，于是悟空拔了根毫毛，变成瞌睡虫，放

dào xiān tóng men liǎn shang　　bú yí huìr　　zhè xiē xiān tóng men quán shuì zháo le　　tā

到仙童们脸上。不一会儿，这些仙童们全睡着了，他

tiào dào zhuō shang　　duān qǐ měi jiǔ　　kāi huái tòng yǐn

跳到桌上，端起美酒，开怀痛饮。

　　tā chī bǎo hē zú hòu cái zǒu chū yáo chí　　mí mi hū hū de zǒu dào tài

他吃饱喝足后才走出瑶池，迷迷糊糊地走到太

shàng lǎo jūn de dōu shuài gōng li　　gāng hǎo gōng li méi yǒu rén　　tā jiù bǎ wǔ ge

上老君的兜率宫里，刚好宫里没有人，他就把五个

hú lu li de jīn dān quán bù dào chū lái chī le　　chī wán zhè cái xiǎng dào chuǎng le

葫芦里的金丹全部倒出来吃了，吃完这才想到闯了

dà huò　　kě néng bǎo bu zhù xìng mìng　　yú shì　　tā biàn pǎo chū dōu shuài gōng

大祸，可能保不住性命。于是，他便跑出兜率宫，

huí huā guǒ shān qù le

回花果山去了。

阅读心·得

　　孙悟空只知道齐天大圣的名气，却不问有没有实权，我们不能爱慕虚荣。

想一想

孙悟空都闯了哪些祸？

五、被困五行山

玉帝听到孙悟空大闹天宫的报告后，大发脾气，命令李天王和哪吒太子率领十万天兵天将，去捉拿悟空。但是天兵天将都不是悟空的对手，一个个都败下来。于是观音菩萨就建议让灌江口的二郎神到花果山来捉拿孙悟空。

二郎神奉命带领梅山六兄弟，点了些精兵良将，杀向花果山。他请李天王举着照妖镜站在空中对着悟空照，自己到水帘洞前挑战。悟空出洞迎战，与二郎神打得难分难解。梅山六兄弟见悟空这时顾不上他们，就趁机杀进了水帘洞。

悟空见自己的老窝被破坏了，心里一慌，变成一只大鹚鸟，冲向天空，二郎神急忙变成了一只大海鹤，钻进云里去扑；悟空一见，嗖地一声飞到水里，变成一条鱼。

二郎神从照妖镜里看见了悟空，就变成鱼鹰，在水面上等着，悟空见了，急忙变成水蛇，窜到岸边，接着又变成花鸨，立在芦苇上。

二郎神变回原来的样子，取出弹弓，朝着花鸨就打，把悟空打得站立不稳。

各路的天兵神将一拥而上，把悟空团团围住，太上老君趁机把金钢琢朝悟空扔过去，悟空被打中头部，摔了一跤。二郎神的哮天犬跑上去，咬住了悟空，其他天神则扑上去把悟空按住，用绳索把他捆绑了回去。

孙悟空被绑在斩妖台上，但不论刀砍斧剁，还是雷打火烧，都不能伤他一根毫毛。太上老君启奏玉帝，把悟空放到八卦炉里熔炼，玉帝准奏。于是，悟空被带到兜率宫，众神仙把他推进八卦炉里，烧火

de tóng zǐ yòng shàn zi shǐ jìn shān huǒ
的童子用扇子使劲扇火。

wù kōng zài lú zhōng tiào lái tiào qù　ǒu rán zhōng tiào dào xùn gōng de wèi
悟空在炉中**跳来跳去**，偶然中跳到巽宫的位

zhì　zhè li zhǐ yǒu yān méi yǒu huǒ　wù kōng bèi xūn de hěn lì hai　jiù wān xià
置，这里只有烟没有火，悟空被熏得很厉害，就弯下

shēn zi dūn zài lǐ miàn　sì shí jiǔ tiān guò qù le　tài shàng lǎo jūn xià lìng dǎ
身子蹲在里面。四十九天过去了，太上老君下令打

kāi lú mén　wù kōng hū rán tīng dào lú dǐng yǒu xiǎng shēng　tái tóu kàn jiàn yí dào
开炉门，悟空忽然听到炉顶有响声，抬头看见一道

guāng　yòng lì yí tiào　tiào chū liàn dān lú　tī dǎo lú zi　zhuǎn shēn jiù pǎo
光，用力一跳，跳出炼丹炉，踢倒炉子，转身就跑。

孙悟空不但没有被熔化，反而炼就了一双火眼金睛。他从耳朵中掏出金箍棒，迎风一晃，变成碗口那么粗。悟空抡起如意棒，一路指东打西，直打到灵霄殿上，大声叫喊着："皇帝轮流做，玉帝老头，你快搬出去，把天宫让给我，要不，就给你点厉害看看！"

幸好有三十六员雷将赶来保护，玉帝才能脱身。玉帝立即派人去西天请如来。如来一听，带着阿傩、伽叶两位尊者，来到灵霄殿外，命令停止打斗，叫悟空出来，看看他有什么本事。悟空怒气冲冲地看着如来，根本就不把如来放在眼里。

如来佛祖伸开手掌说："如果你有本事一筋斗翻出我的手掌，我就劝玉帝到西方去，把位子让给你。"悟空一听，不知是计，心里还挺高兴，就把金箍棒放在耳朵里，轻轻一跳，站在如来佛的手心中，喊道："我去了！"一个筋斗，无影无踪。

悟空驾着云飞一样地往前赶，忽然见前面有五根肉红色的柱子，心想这肯定是天边了，柱子一定是撑天用的，这才停下来。他害怕回去见如来没有凭证，就拔下一根毫毛，变成一支笔，在中间的一根柱子上写下"齐天大圣到此一游"八个大字。写完收了毫毛，又跑到第一个柱子下撒了一泡猴尿，然后又驾起筋斗云，回到如来佛祖手掌里说："如果你说话算数，就快叫玉帝让位子吧！"如来佛却说孙悟空根本没有离开他的掌心。悟空不服，要如来去看看他在天边留下的证据。

如来佛不去，他让悟空看看他右手的中指，再闻闻大拇指根。悟空睁大火眼金睛，只见佛祖右手中指上有他写的那八个大字，大拇指丫里还有些猴尿的臊气。悟空吃惊地说："我不信，我一点也不信，我把字写在撑天的柱子上，怎么却在你手上？等我去看看再说。"

wù kōng zhuǎn shēn xiǎng pǎo　　 rú lái fó yǎn jí shǒu
悟空转身想跑，如来佛眼疾手

kuài　　fǎn shǒu yì tuī　　 bǎ wù kōng tuī chū xī
快，反手一推，把悟空推出西

tiān mén wài　　 yòu bǎ wǔ zhǐ fēn bié huà zuò jīn
天门外，又把五指分别化作金、

mù　 shuǐ　 huǒ　　tǔ wǔ zuò lián shān
木、水、火、土五座联山，

gěi zhè zuò lián shān qǐ míng jiào　　 wǔ xíng
给这座联山起名叫"五行

shān　　 jiāng wù kōng láo láo yā zài shān
山"，将悟空牢牢压在山

xia　 guò hòu　　 rú lái fó yòu cóng xiù zi li qǔ chū yì zhāng tiě zi　　ràng rén
下。过后，如来佛又从袖子里取出一张帖子，让人

tiē zài wǔ xíng shān dǐng de yí kuài sì fāng shí shang　　nà zuò shān de fèng lì kè hé
贴在五行山顶的一块四方石上，那座山的缝立刻合

zhù　　 sūn wù kōng zài yě méi yǒu bàn fǎ chū lái le
住，孙悟空再也没有办法出来了。

阅读心得

　　孙悟空本领再大，也逃不出如来佛祖的手掌心，真是人外有人，我们不能骄傲。

日积月累

近义词：偶然——偶尔　　　　反义词：偶然——必然

六、从师取真经

liù　　cóng shī qǔ zhēn jīng

　　五百年以后，观音菩萨奉了如来佛的法旨，带着
锦襕袈裟、九环锡杖和紧箍，跟惠岸行者一块儿来
到东土大唐，寻找去西天求取三藏真经的人。师徒
二人在半空中驾着云，来到大唐京城长安的上
空。这时已是贞观十三年。

　　这一天，正是唐太宗李世民命令高僧陈玄奘在
化生寺设坛宣讲佛法的日子。陈玄奘是如来佛二弟
子金蝉子转世，观音暗中选定他为取经人，自己与
惠岸行者变成了游方和尚，捧着袈裟等宝贝到皇
宫门外，要求拜见唐太宗，给他献宝。

　　唐太宗一向喜欢佛教，立即宣他们上殿，问那
些宝贝一共要多少钱。观音说："佛祖那儿有三藏真

经，你如果派陈玄奘去西天求取真经，这些宝贝就送给你了。"说完，跟惠岸行者变成原来的样子，驾起云走了。太宗一见是观音菩萨，连忙带领满朝文武官员向天朝拜。

唐太宗十分高兴，和陈玄奘结成了兄弟，要他去西天取经，将锦襕袈裟等宝物送给了他，并将他的名字改为"唐三藏"。唐太宗率领文武百官一路送到长安城外，和三藏依依惜别。

唐三藏别名唐

僧。他和两个仆人赶了两天路，来到法门寺，寺里的和尚赶忙出来迎接。晚上，和尚们坐在一起，都说去西天取经一定路途艰险，唐僧用手指着心口说："只要有坚定的信念，那么任何危险都算不了什么！"和尚们连声称赞。

第二天，唐僧主仆含泪辞别了和尚们，骑着马继续向西走去。

这一天，他们走到一座大山前时，忽听山脚下有人大喊："师父快过来，师父快过来！"

唐僧吓得胆战心惊。仆人赶忙说："长老莫怕，听老人说，当年王莽造反的时候，这座山从天而降，山下还压着一个饿不死，冻不坏的神猴，刚才肯定是那个神猴在叫喊，长老不妨过去看看。"

这神猴正是当年被如来压在山下的孙悟空，他一见唐僧就喊道："师父快救我出去，我保护你到西天取经。前些天观音菩萨来劝过我，让我给您当徒

弟。"唐僧听了非常高兴，可是又很发愁，没有办法
把孙悟空救出来。

孙悟空说只要把山顶上如来佛的金字压帖拿掉
就行了。唐僧拿掉了金字压帖后，按照悟空的要求，和
仆人退到十里之外的地方等着。忽然一声天崩地裂般
的巨响，五行山裂成两半，顿
时飞沙走石，满天
灰尘，
让人睁不
开眼睛。

等到唐僧
睁开眼睛时，悟
空已经跪在地上，给
他叩头。唐僧
见他赤身裸体，
就从包袱里拿出

一双鞋和一条裤子让他穿上。仆人见唐僧收了徒弟，就告别了唐僧师徒回家去了。悟空立刻收拾行李，和师父一道出发。

没过多久，师徒二人出了大唐边界。忽然一声口哨声响起，从草丛中跳出六个强盗，要抢他们的马和行李。

悟空放下行李，笑着说："我原来也是做山大王的，把你们抢的金银珠宝分我一半吧！"强盗们一听，气得头发都竖了起来，拿着刀枪就往悟空头上砍，可是乒乒乓乓砍了七八十下，也没伤着悟空半根毫毛。

悟空见他们打累了，高喊一声："该俺老孙玩玩了！"他取出金箍棒，把强盗都打死了。唐僧见了，很不高兴地说："他们虽然是强盗，但也不至于都要打死，你这样残忍，怎能去西天取经呢？阿弥陀佛。"

孙悟空最受不了别人的气，他听师父这样一说，

压不住心中的<ruby>怒火<rt>nù huǒ</rt></ruby>，高声说道："既然师父这样说，那我就不去西天取经了，你自己去吧！老孙我可要回花果山了！"说完<ruby>纵身<rt>zòng shēn</rt></ruby>一跳，驾上筋斗云，往东飞去了。等到唐僧抬起头，已经看不见孙悟空了。

唐僧没有办法，只好把行李放在马

背上，一手拄着锡杖，一手牵着马，慢慢地往西走去。不久，对面来了位老妇人，手里捧着一件衣服和一顶花帽。唐僧赶忙牵住马，双手合掌，给老妇人让路。

那老妇人走到唐僧跟前说道："你从哪里来呀，怎么一个人在山中走呢？"唐僧就把悟空不听话的事告诉了老妇人，老妇人听后微微一笑，说："我送你一件衣服和一顶花帽，给你那不听话的徒弟穿戴上吧！"

唐僧苦笑着说："唉，徒弟已经走了！要这些还有什么用呢？"老妇人笑着说："别急，徒弟我会帮你找回来的。我这儿还有一篇咒语，叫作紧箍咒，你要牢牢记在心里，你让你的徒弟穿上这衣服，戴上帽子，他如果再不听话，你就念咒，他就不敢不听了！"

唐僧学会了紧箍咒，低头拜谢老妇人。这时老

fù rén yǐ jīng biàn chéng yí dào jīn guāng xiàng dōng fēi qù táng sēng tái tóu yí
妇人已经变成一道金光，向东飞去。唐僧抬头一

kàn yuán lái shì guān yīn pú sa gǎn máng guì xià kòu tóu rán hòu bǎ yī mào
看，原来是观音菩萨，赶忙跪下叩头，然后把衣帽

shōu dào bāo fu li zuò zài lù biān jiā jǐn bèi sòng jǐn gū
收到包袱里，坐在路边，加紧背诵紧箍

zhòu zhí dào bèi de gǔn guā làn shú
咒，直到背得滚瓜烂熟。

guān yīn pú sa jià zhe xiáng yún
观音菩萨驾着祥云，

méi zǒu duō yuǎn pèng shàng le cóng dōng bian
没走多远，碰上了从东边

zǒu guò lái de sūn wù kōng yuán lái
走过来的孙悟空。原来

wù kōng lí kāi táng sēng zhī hòu
悟空离开唐僧之后，

zài dōng hǎi lóng wáng nàr chī le dùn
在东海龙王那儿吃了顿

fàn zài lóng wáng de kǔ kǔ quàn gào zhī
饭，在龙王的苦苦劝告之

xià yǐ huí xīn zhuǎn yì guān yīn
下，已回心转意。观音

pú sa ràng tā gǎn kuài huí dào táng sēng shēn
菩萨让他赶快回到唐僧身

biān wù kōng èr huà bù shuō gào bié
边，悟空二话不说，告别

观音菩萨去追赶唐僧了。

见到唐僧，悟空把去龙王那儿吃饭的事情说了一遍，又问："师父，你也饿了吧！我去化些斋饭来。"

唐僧摇摇头说："不用了，包袱里还有些干粮，你给师父拿来吧！"悟空打开包袱，发现观音菩萨给的衣帽十分漂亮，便向唐僧讨要。

唐僧点头答应了。悟空高兴得抓耳挠腮，忙穿上了衣服，戴上了帽子。唐僧要试试紧箍咒灵不灵，就小声念了起来，悟空马上痛得满地打滚，拼命去扯那帽子，可帽子却像长在肉里一样，取也取不下来，扯也扯不烂。

悟空发现头痛是因为师父在念咒，嘴里喊着："师父别念了！别念了！"暗地里取出金箍棒，想把唐僧一棒打死。唐僧见了，紧箍咒越念越快，悟空的头越来越疼，没有办法，只好跪地求饶："师父，是我错了，徒儿知道错了，不要再念咒了吧！"

táng sēng jiàn tā yǐ jīng zhī cuò　jiù zhù le kǒu　wù kōng de tóu mǎ shàng
唐僧见他已经知错，就住了口。悟空的头马上

jiù bú tòng le　tā xiǎng zhè zhòu yǔ yí dìng shì guān yīn pú sa jiāo de　jiù chǎo
就不痛了，他想这咒语一定是观音菩萨教的，就吵

zhe yào qù nán hǎi zhǎo guān yīn pú sa suàn zhàng　táng sēng shuō　tā jì rán néng
着要去南海找观音菩萨算账。唐僧说："她既然能

jiāo wǒ zhè jǐn gū zhòu　kěn dìng yě huì niàn zhòu　wù kōng měng xī le yì kǒu
教我这紧箍咒，肯定也会念咒！"悟空猛吸了一口

qì　bú zài hú lái　fā shì yǐ hòu yí dìng tīng shī fu de huà　bǎo hù táng
气，不再胡来，发誓以后一定听师父的话，保护唐

sēng xī tiān qǔ jīng
僧西天取经。

阅读心·得

　　虽然去西天取经路途艰险，但是唐僧认为只要有坚定的信念，任何危险都算不了什么，我们也要对学习抱有坚定的信念。

好词积累卡

成语

滚瓜烂熟　　回心转意

七、降伏白龙马

师徒俩继续向西行。一天，他们来到蛇盘山鹰愁涧，突然从涧中钻出一条白龙，张着爪子向唐僧冲了过来，悟空慌忙背起唐僧，驾云就跑。那龙追不上悟空，就张开大嘴把白马给吞吃了，然后又钻进深涧里了。

悟空把师父安顿在一个安全地方。转身回到涧边去牵马拿行李，发现马不见了，想着一定是被白龙吃了，就在涧边破口大骂："泼泥鳅，还我的马来！"白龙听见有人骂他，气得眼睛都红了，跳出水面，张牙舞爪地向悟空扑来。

双方战了几十个回合，白龙实在打不过悟空，摇身变成一条水蛇，钻进了草丛。悟空赶忙追过去，可是连蛇的影子都找不到，气得他把牙咬得乱响。

于是，悟空念咒语，把山神和土地都叫了出来，问他们白龙从哪里来的。山神和土地小心翼翼地说："这白龙是观音菩萨放在这儿等候你们，和你们一起取经的。"悟空一听，气得要找观音菩萨讲道理。

观音菩萨料事如神，驾云来到鹰愁涧，告诉悟空："这白龙原是西海龙王的儿子，犯了死罪，是我讲了个人情，让他给唐僧当马骑的。如果没这匹龙马，你们就去不了西天。"悟空急着说："他藏在水里不出来，怎么办？"

观音菩萨面带微笑，朝涧中喊了一声，那白龙立刻变成一个**英俊**的公子，来到菩萨跟前。菩萨说："小白龙，你师父已经来了！"边说边解下白龙脖上的明珠，用柳条蘸些甘露向他身上一挥，吹了口仙气，喊声"变"，白龙就变成了一匹白马。

观音菩萨叫悟空牵着白马去见唐僧，并赐给悟空三根救命毫毛，自己则回普陀去了。悟空牵着马，地来到唐僧跟前。唐僧一边用手摸着马头，一边说："好马，好马，你是在哪儿找的？"悟空把经过说了一遍，唐僧连忙向南磕头，感谢观音菩萨。

阅读心得

白龙马可以帮助唐僧师徒去西天取经，在学习和生活中，我们也常常需要别人的帮助。

好词积累卡

形容词

慌忙　　　兴高采烈

八、斗宝失袈裟

唐僧骑上白龙马，赶起路来就轻松了许多。一天傍晚，师徒二人来到山谷里的一座观音院。门口的和尚一听是大唐来的高僧，要到西天去取经，连忙施礼，恭恭敬敬地请他们进院子休息。

唐僧师徒刚刚坐好，两名小和尚搀扶着一个驼背的和尚，慢慢地走了进来。唐僧连忙起身，双手合掌，施礼相迎。老和尚一边还礼，一边叫人端茶来。不一会儿，两个小童端着精美的茶具进来了。

唐僧喝了一口茶，夸茶具好。老和尚很高兴，然后卖弄地讲起了茶经，还拿出两个箱子，从里面取出上百件漂亮的袈裟，他问唐僧有什么从大唐带来的宝贝，让唐僧拿出来看一看。没等唐僧说话，早已不服气的孙悟空就把师父的袈裟拿了出来，顿时满屋金光四射，让人睁不开眼睛。

老和尚看呆了，一条毒计爬上心头。他找了个借口，把袈裟借了出来。晚上，老和尚偷偷让小和尚搬来许多木柴，想把唐僧师徒烧死。悟空听到院子里很吵，觉得奇怪，害怕师父被惊醒，就变成一只小蜜蜂，飞到院中，看到眼前的情景，觉得很可笑。他眼珠一转，想出了一条妙计。

悟空驾起筋斗云，来到南天门，把广目天王的避火罩借了出来。悟空拿着避火罩回到观音院，把师父的禅房罩住，然后悠闲地坐在屋顶，看和尚们放火。一会儿整个观音院顿时变成了一片火海。

这场大火引来了一个妖怪。原来这座观音院的南面有座黑风山，山中黑风洞里住着一个黑风怪。他远远地看见寺庙起火，就想着趁火打劫偷点东西，于是驾云飘进方丈房中。他看见桌上的包袱放出金光，打开一看，竟是件**价值连城**的袈裟。

黑风怪偷了那件袈裟，驾云回到洞中。悟空只管坐在屋顶看火，却没注意到黑风怪。天快亮时，悟空见火快灭了，才收起避火罩，还给了广目天王。回到禅房，见师父还在熟睡，就轻轻地叫醒了师父。

唐僧打开房门，见院中四处都是乌黑烧焦的木头，好端端的观音院已经不存在了，感到非常吃惊，悟空就把昨晚发生的事说了一遍。唐僧心中想着袈裟，就和悟空一块去找。寺里的和尚看见他们，还以为是冤魂来了，吓得连连跪地求饶。

那驼背老和尚看见寺院被烧，又不见了袈裟，正生气，又听说唐僧没有被烧死，来取袈裟了，吓得不知怎么办才好。最后他一狠心，一头往墙上撞去，顿时**血流如注**，当场就死了。唐僧知道后，埋怨悟空说："唉！徒儿，你何苦要和别人斗气比阔呢？现在可怎么办哪！"

悟空手拿金箍棒，那些和尚袈裟在哪里，
和尚都说不知道。悟空想了又想问道："这附近可
有妖怪？"和尚都说黑风山上有个黑风怪。悟空板
着脸说："好好侍候我师父，如有不周，小心脑袋！"
说着一棒打断了一堵墙。

阅读心得

　　老和尚被唐僧的袈裟迷住，使出坏心眼想据为己有，却
想不到被孙悟空识破。我们不能不道德地占有别人的东西。

读一读　写一写

恭恭敬敬

九、智灭黑风怪

悟空一个筋斗来到黑风山，远远地看见对面山崖上有一座洞府，门前有一座石碑，上面写着"黑风山黑风洞"几个大字。悟空来到洞前，用棒子敲着门，高声叫道："坏家伙，还我袈裟来！"小妖怪看到悟空气势汹汹，连忙跑进去报告黑风怪。

黑风怪穿上乌金甲，提着黑缨枪，出洞和悟空打了起来。打到中午，黑风怪说要吃饭，饭后再打。悟空也不说话，只是打，黑风怪只得变成一股清风逃回洞中。

不管悟空在洞外骂得有多难听，黑风怪就是不出来。悟空急得没有办法，只好先回观音院去看师父。

唐僧看到袈裟还没有夺回来，心中非常着急。

晚上怎么也睡不着。第二天天刚亮，悟空对唐僧说：

"师父请放心，老孙今天要是夺不回袈裟，就不回来

见你！"原来他已决定找观音菩萨想办法。

悟空驾云来到南海落伽山，见到观音菩萨，说

明来意。观音菩萨听后叹了口气说："你这猴子，不

该当众卖弄宝衣，更不该放火烧了寺院弄成现在

这个样子。"说完，嘱咐了童子几句，和悟空驾着

云，飞往黑风山。

他们很快来到黑风山，远远看见一个妖怪变成

的道士端着玉盘走了过来。悟空上前一棒打死了道

士，那道士现出了原形，原来是只大灰狼。悟空捡起

盘子，看见里面有两粒仙丹，原来他是去给黑风怪拜

寿的。

悟空灵机一动，想出一条妙计，他让观音菩

萨变成那道士，自己则变成一颗仙丹，只不过比

原来的大一些。观音菩萨把他放在盘中，向洞中

走去，按悟空说的计策，他们要让黑风怪吃下那颗

仙丹。

观音菩萨来到洞中，把仙丹送到黑风怪手中，

说："小道献上一颗仙丹，祝大王健康长寿！"黑

风怪十分高兴，接过仙丹刚送到嘴边，没想到仙丹

自动滑进了嘴里。

悟空一到黑风怪肚子里，就恢复了原形，在里面

打起了猴拳，黑风怪痛得在地上直打滚。观音菩萨

也恢复了原形，命令他交出袈裟，黑风怪痛得受不了

就把袈裟交了出来。观音菩萨拿出一个小金圈儿，套

在黑风怪头上。

观音这才让悟空出来。悟空刚从黑风怪的鼻孔

里跳出来，黑风怪就摆出一副凶相，拿着黑缨枪向

观音刺去。观音浮在空中，念动咒语，黑风怪马上

头痛了起来，只好跪在地上，求观音饶命，并说自

jǐ yuàn yì chū jiā guān yīn pú sà bǎ jiā shā jiāo gěi wù kōng dài zhe hēi fēng guài
已愿意出家。观音菩萨把袈裟交给悟空，带着黑风怪

huí nán hǎi qù le
回南海去了。

dì èr tiān tángsēng shī tú lí kāi le guān yīn yuàn yòu xiàng xī chū fā
第二天，唐僧师徒离开了观音院，又向西出发。

阅读心得

孙悟空施妙计，变成仙丹滑进黑风怪的肚子，我们也
要做机智勇敢的孩子。

好词积累卡

形容词

健康　　长寿

十、妙手治八戒

这一天，天快黑了，他们来到一个叫作高老庄的村子。碰巧，庄主高太公正在到处寻找能捉妖怪的法师。悟空一听非常高兴地说："不用找了，我就是专门捉妖怪的。"

原来，高太公有三个女儿，前两个女儿已经出嫁，到了三女儿，就想找个上门女婿来支撑门户。三年前来了个又黑又壮的青年，自称是福陵山人，姓猪，想到高家当女婿。三女儿对他还算满意，高太公就让他们成了家。

开始这个女婿很勤快，耕田下地，收割粮食，样样都行。没想到过了一阵子，他突然变成一个猪头猪脑的妖怪，一顿饭要吃三五斗米，来去都腾云驾雾。

这半年来，他竟然把三女儿锁在后院，不让人进去。

悟空听了高太公的话，拍拍胸脯说："这个妖怪我捉定了，你先带你女儿回去吧！"悟空让高太公父女离开，自己变成三女儿的模样，来到后院的卧房。没过多久，院外

一阵狂风刮来，那

妖怪出现在半空中。

悟空连忙向床上一

靠，装出有病的样子，那妖

怪摸进房中，口中喊着："姐

姐，姐姐，你在哪儿哪？"

悟空故意不说话，举起金

箍棒就打那妖怪，那妖怪打开

门就往外跑，悟空从后面一把

扯住他的后领子，把脸一抹，

现出原形大叫道："泼怪，你

看我是谁？"那妖怪一见是悟空，吓得手脚发麻，"呼"地一下化成一阵狂风跑了。

悟空跟着这股妖风一路追到高山上，只见那股妖风钻进了一个洞里。悟空刚落下云头，那妖怪已现形从洞中出来了，手里拿着一柄九齿钉耙骂道："你这个弼马温！当年大闹天宫，不知连累了我们多少人。今天又来欺负我，让你尝尝我的厉害，看耙！"

悟空举起棒架住了钉耙，问："怎么，你认识俺老孙！"那妖怪说出了自己的来历：原来他是天上的天蓬元帅，在王母娘娘的蟠桃会上喝得酩酊大醉，闯进了广寒宫，见嫦娥长得十分美丽，就上去调戏嫦娥。

玉皇大帝知道这件事后，要根据天条将他处死。多亏太白金星求情，才保住了性命，但要重打两千铜锤，并打入凡间投胎。没想到他急于投胎转世，竟错投了猪胎，落得如此模样。这时他和悟空打了一会儿，就觉得抵挡不住，拔腿就往洞中逃。

悟空站在洞口骂，那妖怪也不出来。悟空一见，气得乱蹦乱跳，拿起金箍棒打碎了洞门，那妖怪听见洞门被打碎的声音，只好跳出来骂道："我在高老庄招亲，跟你有什么关系，你欺人太甚，我这把钉耙绝不饶你！"

悟空想跟他玩玩，就站着不动，不管那妖怪怎么打，悟空的头皮连红都不红。那妖怪使劲一打，溅得火星乱飞，这下可把他吓坏了，说："好头！好头！你原来不是在花果山水帘洞吗？怎么跑到这儿来了？是不是我丈人到那儿把你请来的？"

悟空说："不是，是我自己改邪归正了，保护唐僧西天取经路过这……"妖怪一听"取经"二字，"啪"地一声一丢钉耙，拱了拱手说："麻烦你引见一下，我受观音菩萨劝导，她叫我在这里等你们，我愿意跟唐僧去西天取经，也好将功折罪。"

liǎng ge rén fàng huǒ shāo le yún zhàn dòng wù kōng jiāng yāo guài de shuāng shǒu fǎn
两个人放火烧了云栈洞，悟空将妖怪的双手反

bǎng shàng yā huí gāo lǎo zhuāng nà yāo guài pū tōng yì shēng guì zài táng sēng
绑上，押回高老庄。那妖怪"扑通"一声跪在唐僧

miàn qián bǎ guān yīn pú sà quàn tā xíng shàn de shì shuō le yí biàn táng sēng shí
面前，把观音菩萨劝他行善的事说了一遍。唐僧十

fēn gāo xìng jiào wù kōng gěi tā sōng bǎng yòu qǐng gāo tài gōng tái chū xiāng lú zhú
分高兴，叫悟空给他松绑，又请高太公抬出香炉烛

tái bài xiè le guān yīn hái gěi tā qǔ le ge fǎ háo jiào zhū wù néng bié míng
台，拜谢了观音，还给他取了个法号叫猪悟能，别名

zhū bā jiè
猪八戒。

阅读心·得

　　猪八戒原是天上的天蓬元帅，因为调戏嫦娥被贬入凡间，我们不能像他一样贪图享乐。

好词积累卡

成语

酩酊大醉　　欺人太甚

十一、黄风洞除魔

从此以后，唐僧又多了一个徒弟。师徒三人不怕千辛万苦，日夜赶路向西前进。这天来到一座很险峻的山下，忽然刮来一阵旋风。悟空让过了风头，一把抓住风尾闻了闻，有一股腥臭气，说："闻这风的味儿，说明附近不是有猛虎就是有妖怪。"

话还没说完，山坡下就跳出一只斑斓猛虎，把唐僧吓得从白马上滚了下来。悟空一见，举起金箍棒就打。悟空和他大战几十回合，那妖怪见脱不了身，就使了个金蝉脱壳之计，用爪子剥下虎皮，盖在一块卧虎石上，自己变成一股狂风溜了。到了路口，那妖怪见唐僧一个人端坐在路边，就一把抓起他，驾着狂风跑了。

再说悟空和八戒见那只老虎趴在块石头上，棒耙一齐打了下去，虎皮碎了，石头裂了，悟空大叫道："不好，中计了！"两人急忙回到路口去找师父，发现师父已经被妖怪抓走了。

师兄弟两个追进山中，穿山越岭，忽然看见一块岩石下有座山门，上书六个大字"黄风岭黄风洞"。悟空让八戒看着马和行李，自己到洞口叫阵。小妖们忙跑进去向老妖报告。

老妖怪的先锋自告奋勇，提着两口赤铜刀，跳出洞门，与悟空打了起来。几个回合下来，那妖怪就腰酸腿痛，转身想跑，这时，八戒正好在山坡上放马，见妖怪被悟空追得往这边跑，就放开马，举起钉耙用力打去，一下把妖怪的脑壳打得稀巴

烂，现出了原形——是一只老虎。悟空见了很高兴，

一手提金箍棒，一手拖着死老虎，又来到洞口，要引

那老妖出来。

老妖听说悟空拖着先锋官的尸体前来骂阵，气得

不得了，立即穿戴整齐，拿一杆三股钢叉，率领所

有的小妖出洞应战。悟空见了老妖便直扑过去，两个

人在黄风洞口，你一叉，我一棒，打得难解难分。

悟空求胜心切，便从身上拔下一把毫毛，嚼

碎喷出，这些毫毛立刻变成了一百多个悟空，每人

手拿一根金箍棒，把老妖团团围住。老妖哪里遇见过

这场面，心中十分惧怕，朝地上吹了口气，顿时天

上刮起一阵狂风，把那一百多个悟空吹得像风车一

样在空中乱转。

悟空急忙把毫毛收回身上，自己举着金箍棒去

跟老妖斗。老妖知道难胜悟空，于是转身变成一

股黄风逃回了洞中。

wù kōng jǐn zhuī huáng fēng guài lái dào
悟空紧追黄风怪来到

huáng fēng dòng qián biàn chéng yì zhī huā jiǎo
黄风洞前，变成一只花脚

wén chóng cóng mén fèng fēi le jìn qù
蚊虫，从门缝飞了进去，

jiàn lǎo yāo zhèng zài dà tīng zhāo hu xiǎo yāo
见老妖正在大厅招呼小妖

men shōu shi bīng qì zhǔn bèi zài cì
们收拾兵器，准备再次

jiāo zhàn wù kōng fēi dào hòu yuàn
交战。悟空飞到后院，

jiàn shī fu bèi bǎng zài dìng fēng zhù
见师父被绑在定风柱

shang jiù fēi dào táng sēng tóu shang qīng shēng de ān wèi le yì fān ràng tā
上，就飞到唐僧头上，轻声地安慰了一番，让他

bú yòng dān xīn hài pà
不用担心害怕。

wù kōng yòu fēi huí dà tīng zhèng hǎo pèng jiàn yí ge xiǎo yāo lái bào dài
悟空又飞回大厅，正好碰见一个小妖来报："大

wang zhǐ yǒu yí ge cháng zuǐ dà ěr duo de hé shang zuò zài shù lín li nà
王，只有一个长嘴大耳朵的和尚坐在树林里，那

ge máo liǎn hé shang bú jiàn le shuō bu dìng shì bān bīng qù le lǎo yāo shuō
个毛脸和尚不见了，说不定是搬兵去了。"老妖说：

pà shén me chú le líng jí pú sa shén me rén wǒ dōu bú pà wù kōng
"怕什么，除了灵吉菩萨，什么人我都不怕！"悟空

tīng le xīn zhōng yí zhèn huān xǐ
听了，心中一阵欢喜。

tā fēi chū huáng fēng dòng xiàn chū yuán xíng hòu lái dào lín zhōng bǎ gāng cái
他飞出黄风洞，现出原形后来到林中，把刚才

tīng dào de dōu gěi bā jiè shuō le yí biàn ràng tā dāi zài zhè li zì jǐ qù zhǎo
听到的都给八戒说了一遍，让他待在这里，自己去找

灵吉菩萨。

悟空一个筋斗直往南行，不一会儿就看见一座祥云围绕的高山，山谷里有座幽静的禅院，不时传出庄严的钟声，空气中弥漫着香气。悟空按住云头，走到门前，看见一个和尚，急忙上前施礼，打听到这里就是灵吉菩萨讲经的地方。

灵吉菩萨听到通报后，立即出来迎接悟空，悟空说明了来意，灵吉菩萨拿出定风丹，又取了飞龙宝杖，与悟空驾云来到黄风山上。他让悟空到山门前去挑战，引诱黄风怪出来。悟空下了祥云，挥舞着金箍棒打破了洞门，那老妖非常生气，举叉便向悟空胸口刺来。

悟空举棒招架着，没打多久，那老妖张嘴又想呼风，半空中的灵吉菩萨扔下飞龙宝杖，变成一条八爪金龙，伸出两个爪子，一把抓住那老妖，提着头摔在石崖边上，妖怪现出原形，原来是一

zhǐ huáng máo diāo shǔ
只黄毛貂鼠。

wù kōng jǔ bàng jiù xiǎng dǎ　　líng jí pú sa lán zhù shuō　　tā yǐ xiàn chū
悟空举棒就想打，灵吉菩萨拦住说："他已现出

yuán xíng　　jiù ràng wǒ bǎ tā zhuā qù jiàn rú lái　　kàn shāng hài táng sēng gāi shòu zěn
原形，就让我把他抓去见如来，看伤害唐僧该受怎

yàng de chǔ zhì　　wù kōng　　nǐ kàn zhè yàng kě hǎo
样的处置。悟空，你看这样可好？"

wù kōng xiè le líng jí pú sa　　líng jí pú sa dài zhe huáng máo diāo shǔ xiàng
悟空谢了灵吉菩萨，灵吉菩萨带着黄毛貂鼠向

xī qù le　　wù kōng zài lín zhōng zhǎo dào bā jiè　　tā men liǎng ge bǎ dòng zhōng
西去了。悟空在林中找到八戒，他们两个把洞中

de dà xiǎo yāo guài quán dōu dǎ sǐ　　jiù chū táng sēng　　yòu zài dòng li zhǎo dào xiē
的大小妖怪全都打死，救出唐僧，又在洞里找到些

sù shí　　zuò xiē fàn shì hòu shī fu chī le　　zhè cái zǒu dào dòng wài　　yòu jì xù
素食，做些饭侍候师父吃了，这才走到洞外，又继续

shàng lù xī xíng
上路西行。

阅读心·得

　　孙悟空请来灵吉菩萨降伏了黄风洞老妖，看来一物降一物。我们遇到问题，要学会找到正确方法来解决。

好句积累卡

比喻句

　　顿时天上刮起一阵狂风，把那一百多个悟空吹得像风车一样在空中乱转。

十二、沙和尚拜师

唐僧师徒三人过了黄风岭，一路上特别小心。

天亮赶路，天黑就休息，这样过了许久。这天他们来

到了一条一望无际的大河边。

突然八戒叫道："师兄，快到这儿来！"原来岸边

有一块石碑，他们走近一看，碑上刻着"流沙河"

三个大字，碑下部有四行小字："八百流沙界，三千

弱水深，鹅毛飘不起，芦花定底沉"。唐僧倒吸一口

冷气，说："这可怎么办？"突然，一声巨响，河中

钻出一个妖怪来。

那妖怪朝唐僧扑了过来。悟空慌忙护着师父，

八戒挥着钉耙，与妖怪在河边打了起来，半天仍不分

胜负。悟空纵身一跃，举起棒子朝妖怪打去。那妖

guài huī zhàng yì dǎng　　zhèn de shuāng bì fā má　　hǔ kǒu bèng liè
怪挥杖一挡，震得双臂发麻，虎口迸裂。

nà yāo guài huāng máng tiào dào hé li　zuān rù shuǐ dǐ　　bā jiè shuō
那妖怪慌忙跳到河里，钻入水底。八戒说：

ǎn lǎo zhū yuán shì tiān hé li de tiān péng yuán shuài　hái shi ràng wǒ zhè dǒng shuǐ
"俺老猪原是天河里的天蓬元帅，还是让我这懂水

xìng de qù shōu shi tā ba
性的去收拾他吧！"

bā jiè niàn le ge　　bì shuǐ zhòu　　tuō le yī fu ná zhe pá zi zuān jìn
八戒念了个"避水咒"，脱了衣服拿着耙子钻进

shuǐ fǔ　　yāo guài jǔ zhàng biàn dǎ　　liǎng rén cóng shuǐ dǐ dǎ dào shuǐ miàn　　yòu cóng
水府。妖怪举杖便打。两人从水底打到水面，又从

shuǐ miàn dǎ dào shuǐ dǐ　　zhěng zhěng liǎng ge shí chen réng bù fēn shèng fù　　wù kōng
水面打到水底，整整两个时辰仍不分胜负。悟空

chā bu shàng shǒu　　jí de zài páng biān zhí zuò shǒu shì　　yào bā jiè bǎ yāo guài yǐn
插不上手，急得在旁边直做手势，要八戒把妖怪引

dào àn shang lái
到岸上来。

bā jiè zhèng dǎ zài xìng tou shang　　nǎ néng kàn
八戒正打在兴头上，哪能看

dǒng wù kōng de yì si　　wù kōng jí le　　rěn bu
懂悟空的意思。悟空急了，忍不

zhù yí ge jīn dǒu tiào dào bàn kōng　　biàn
住一个筋斗跳到半空，变

chéng yì zhī è yīng pū
成一只饿鹰扑

luò xià lái　　nà yāo
落下来。那妖

guài hū rán tīng dào tóu
怪忽然听到头

shang yǒu fēng shēng
上有风声，

抬头见悟空对着自己冲下来，就收起宝杖，一下扎进水里，再也不出来了。

悟空没有办法，只好回来，对师父说："那妖怪非常**狡猾**，钻到水里后怎么也不出来。现在我去找观音菩萨想想办法。"悟空一个筋斗来到南海落伽山紫竹林中，找到观音说明情况，观音说："那妖怪是天上的卷帘大将下凡，被我劝化，答应保唐僧西天取经的。"

观音菩萨派木叉行者带着一个红葫芦，和悟空一起来到流沙河。木叉行者驾云来到河面上，高声喊道："悟净！悟净！取经的人就在这儿，快点出来跟师父去吧！"

那妖怪听到呼唤，连忙钻出水面，木叉行者说："前来见你的师父和师兄们！"那妖怪整整衣服，拜见了师父，唐僧很高兴又收了个徒弟，给他剃了头，取名沙和尚。

十三、猪八戒娶亲

唐僧领着三个徒弟去取经，每天跋山涉水，还要防备妖魔鬼怪，十分辛苦。这天，艳阳高照，天气炎热。八戒挑着担子走了一天，肚子饿得"咕咕"直叫。远远地看见一个庄院，就一心想去歇歇，化点斋吃。

庄院富丽堂皇，十分气派，却没有人出入。他们等了很久，里边才出来一个中年妇女，她是这里的女主人。女主人听说他们是东土大唐派往西天取经的和尚，就吩咐佣人准备斋饭，自己和唐僧拉起家常来："我有家财万贯，良田千顷。唉！可是丈夫前年死了，只有三个女儿与我相伴，看你们师徒四人都是正人君子，不如给我家当上门女婿，师父看

怎么样?"

唐僧的脸红到了耳根,只装作没听见,也不回

话。八戒听见有这么多家产,又有绝色

美女,便动了心,悄悄凑到师父跟前,要

他答应。唐僧狠狠地瞪了八戒一眼,又训

斥一番,八戒噘着嘴站到一边去了。

妇人见唐僧不答应,很不高

兴,就去劝悟空,悟空让她去劝八

戒。八戒虽然心里愿意,

但嘴上假装**推辞**。

那妇人见他们你推

我,我推你,

都不肯答应,

一生气走到屏

风后面,把门

关上走了。

唐僧师徒被冷落，坐在大厅没吃没喝，也没人理他们。八戒埋怨说："师父，为什么你不先骗骗她，等吃饱喝足后再想别的办法？"说完，八戒走出大厅，说去放马。悟空知道八戒心里另有想法，就变成一只红蜻蜓，跟在八戒身后。

八戒牵着马无处可去，就顺着围墙转到后门口。这时那妇人带着三个女儿正在小院中观赏菊花。八戒偷眼一看，那三个女儿确实美如天仙，不由得想入非非，赔着笑脸小心翼翼地走了过去。

三个女儿看见有生人来了，一个个害羞得躲到屋里。八戒走到那妇人跟前，恭恭敬敬地鞠个躬，又亲亲热热地喊了声："娘，我放马来了。"求那妇人把女儿嫁给他。妇人问："你师父会答应吗？"八戒说："他又不是我爹，管不了那么多！"

悟空听得清清楚楚，赶忙飞回前厅，恢复了原来的模样，把八戒和那妇人的谈话，给师父学了一遍。刚说完，八戒牵着马回来了，悟空故意逗他：

"到哪里去放马了？"八戒**含含糊糊**地说："这里的草长得不好。"

正在这时，旁边的门开了，那妇人带着三个女儿，身上穿着漂亮的衣服，迈着小步，走了进来。问唐僧："长老哪位徒弟愿意娶我女儿啊？"唐僧、悟空、沙僧都一齐看八戒，八戒还装出一副不情愿的样子。悟空上前一把抓住八戒的手，放到那妇人的手里，说："你们不是早就商量好了吗？去拜天地吧！"

八戒还在**装模作样**，嘴里虽说不愿意，人却已经离开了前厅，跟着那妇人左拐右拐，来到了后房。八戒急得马上就要拜天地。

丈母娘却出了一个主意，让他试穿女孩做的衣服。哪件穿着合适，就把哪个许给他。八戒听了连连叫好："要是三件我都能穿，那就让我都娶了吧！"

谁知新衣一上身，就变成一张绳网，把他紧紧地捆住，吊了起来。

再说唐僧、悟空和沙僧，八戒被带走以后，那妇人立刻派人送来很多好吃的，吃完以后，他们就在前厅睡觉。一觉醒来，东方已经发白。唐僧急着赶路，睁开眼一看，原来住的那些华丽的房子都不见了，他们三人竟然睡在野地里。

唐僧吓得赶忙叫醒悟空和沙僧。悟空回头看了看，发现对面一棵老柏树上，挂着一张纸条，正随风微微地飘动。他走过去扯下纸条，拿给师父看。唐僧这才明白昨天晚上的那四位女子，是由黎山老母、观音、普贤和文殊四位菩萨变的，为了试探他们取经的决心。

这时，树林中传来了八戒的叫声："师父，快来救我，我下次再也不敢了！"唐僧、悟空、沙僧顺着声音找过去，只见猪八戒被紧紧捆着，吊在树上大喊大叫。悟空走过去逗他："新郎官怎么不在新房

中，跑到树上打秋千耍杂技？"

沙僧见了，不忍心八戒受罪，把他放了下来。八戒知道自己错了，低着头，请师父原谅，并且表示接受教训，要跟师父去取经。于是唐僧带着三个徒弟，对着空中谢过菩萨，然后跨上白马，**高高兴兴**地向西天走去。

阅读心得

四位菩萨变成母女测试师徒取经的决心，八戒受到了严惩，并表示吸取教训，我们也要做知错就改的好孩子。

读一读 写一写

高高兴兴

十四、偷吃人参果

在风景优美的万寿山五庄观里，住着一位本领高强的神仙，叫镇元大仙。五庄观里长着一棵神奇的人参果树。人参果长得像小婴儿一样，人吃了可以长生不老。不过，树上只有二十八个果子，非常珍贵。

一天，大仙要出门，嘱咐看门的小童："如果唐僧取经路过这里，你们把人参果打两个给他吃。"

不久，唐僧师徒来到五庄观，小童问清身份，就打了两个果子，送给唐僧。唐僧一看，吓了一跳："这不是小孩吗？赶快拿开！"小童见唐僧不肯吃，就拿回去自己吃掉了，还笑话唐僧不识货。谁知八戒正在隔壁烧火，听得口水直流，赶紧招呼悟空，去偷几个尝尝鲜。

悟空早就听说过人参果，只是没有吃过，于是就按照八戒说的，用了一个隐身的法术，偷偷溜进道房，拿走了二童子摘果用的金击子，跑到后园去摘人参果。

这人参果树有一千多尺高，非常茂盛，朝南的枝头上，露出了一个人参果。悟空轻轻一跳，跳上树枝，用金击子一敲，那果子就掉下来，悟空紧跟着跳下来，可是却找不到那果子。

悟空把果园里的土地神抓来，问他为什么把人参果偷走。

土地神告诉孙悟空，这宝贝树三千年开一次花，过三千年才结一次果，再过三千年才

成熟，而且只结三十个果子。这果子很奇怪，碰到

金属就从枝头落下，遇到土就钻进土里，打它时要

用绸子接。悟空听完后，一手拿金击子敲，一手扯着

自己的衣服接了三个果子。悟空回到厨房后，让八戒

把沙僧叫来，三个人每人分一个。猪八戒性急，一口

把果子吞下去，什么味道也没有尝出来，就想让悟

空再去偷几个。

不巧他们的谈话被两童子听见了，他们慌忙

跑到园子里去数，发现少了四个果子，于是就骂唐僧

师徒是偷果子的贼。悟空被骂得火起，一不做，二不

休，干脆推倒了人参果树。

半夜，悟空打开门，领着唐僧离开五庄

观，临走还变了两个瞌睡虫，放到小童脸上，

让他们睡大觉。

第二天，镇元大仙回来后，非常恼火，就追上

去，用袖子把他们一下子拢了回来，叫小童用鞭子来

打。悟空说："偷果子、打倒树，我师父都不知道，还是打我吧！"小童打了几十鞭，悟空一点都不在乎，原来，他把两条腿变成了铁腿，一点都不痛！

当晚，悟空让八戒挖来四棵柳树，把树根变成他们的模样，几个人连夜逃走。第二天，小童打了半天，才发现打的全是柳树根！

大仙丢了面子，恼羞成怒，追上去把他们又抓了回来。这次，小童们搬出一口大锅，倒满油，烧上火，要油炸孙悟空。悟空把门前的石狮子变成自己的模样，自己跳到半空看热闹。小童们要搬"悟空"下油锅，却怎么也搬不动。几十个人一起用力，才把

"悟空"扔进锅里。只听"砰"的一声，**热油四溅**，小童们个个脸上烫起了大泡，锅也被打破了。原来扔到锅里的是个石狮子。

大仙没办法，只好要炸唐僧。悟空怕师父下油锅，便又跳回来说："我师父受不住，还是炸我吧。"

大仙说："我也知道你了不起，可你推倒我的人参果树，一定得赔！"

悟空说："你好小气！我医好你的树，你放我师父，怎么样？"

大仙说："你医好树，我不但放你师父，还愿意和你结拜为兄弟。"

悟空就驾云来到蓬莱仙境等地，他问遍各路神仙，都没有治活人参果树的好办法。最后，他只好翻个筋斗云到南海去找观音菩萨，求她把人参果树救活。幸运的是观音手中净瓶里的甘露正好能医治仙树仙草。于是，悟空和观音菩萨一起驾云来到

wǔ zhuāng guàn
五庄观。

guān yīn ràng wù kōng bā jiè shā sēng bǎ shù káng qǐ lái fú zhèng
观音让悟空、八戒、沙僧把树扛起来，扶正，

yòng tǔ bǎ gēn mái shàng rán hòu yì biān niàn dòng zhòu yǔ yì biān yòng yáng liǔ zhī
用土把根埋上，然后一边念动咒语，一边用杨柳枝

zhàn xiē lù shuǐ sǎ zài shù shang méi guò duō jiǔ nà shù de yè zi yě lù
蘸些露水，洒在树上。没过多久，那树的叶子也绿

le guǒ zi yě zhǎng chū lái le hé yuán lái yí yàng mào shèng liǎng ge xiān tóng
了，果子也长出来了，和原来一样茂盛。两个仙童

zài shǔ shù shang de rén shēn guǒ què biàn chéng le èr shí sān ge zhèng míng sūn wù
再数树上的人参果，却变成了二十三个，证明孙悟

kōng yuán lái méi yǒu sā huǎng tā men zhǐ chī le sān ge guǒ zi
空原来没有撒谎，他们只吃了三个果子。

zhèn yuán dà xiān kàn jiàn shù bèi jiù huó le gāo xìng de bù dé liǎo lì
镇元大仙看见树被救活了，高兴得不得了，立

jí ràng xiān tóng qiāo xià shí ge rén shēn guǒ qǐng dà jiā yì qǐ cān jiā rén shēn
即让仙童敲下十个人参果，请大家一起参加"人参

guǒ dà huì táng sēng zhè shí cái míng bai zhè què shí shì guǒ zi yě chī le yí
果大会"。唐僧这时才明白这确实是果子，也吃了一

ge sàn xí hòu zhèn yuán dà xiān xiān sòng zǒu le guān yīn pú sà hé wù kōng
个。散席后，镇元大仙先送走了观音菩萨，和悟空

jié chéng le xiōng dì rán hòu sòng táng sēng shī tú shàng lù xī qù
结成了兄弟，然后送唐僧师徒上路西去。

阅读心·得

孙悟空和师弟们因偷吃人参果而受到了惩罚，我们在
生活中要引以为戒，光明正大。

十五、三打白骨精

孙悟空保着唐僧去西天取经，走进一座高山。只见山势险恶，野兽成群，走了几天，不见人家。唐僧说："徒弟，我饿了，快去化些斋来。"八戒也说："是，我饿得都走不动了！"悟空跳上天空，手搭凉棚四下一望，下来对唐僧说："这里没有人家。我看见南山里有一片桃林，我去摘些桃子来给你们吃吧。"说完就驾云走了。

这座山里有一个白骨夫人，是一堆白骨成精变的。白骨精听说吃唐僧肉可以长生不老，早就准备要抓唐僧。她见唐僧坐在路边，不禁喜出望外，上前就想抓。可是，八戒、沙僧站在一旁，妖精没敢动手。

白骨精眉头一皱，想出一条诡计。她摇身一变，变成一个漂亮的大姑娘，手里提着一个篮子、一个罐子，向唐僧走来。

八戒闻见香味，抬头一看，原来是个俊俏姑娘，赶紧上前搭话："女菩萨，到哪里去？"妖精见八戒不认识自己，就高兴地说："我手里拎的是斋饭，正要去斋僧。"

八戒乐坏了，赶紧对唐僧说："师父，猴哥说附近没有人家，非要摘桃子去，谁知他跑到哪儿玩去了。你看，那不是有人送饭来了？"

唐僧肉眼凡胎，把妖精当成好人，刚要跟她走，孙悟空就捧着桃子赶了

回来。他睁开火眼金睛，认出妖精的原形，举棍就打。白骨精也很厉害，看见金箍棒打来，便化成一股轻烟跑掉，把一个假尸体扔在地上。

唐僧责怪悟空不该打死人。悟空拿过竹篮，让唐僧看里面的癞蛤蟆和长尾蛆，唐僧这才相信那村姑是个妖怪。猪八戒没有吃成饭，心里很不高兴，说这是悟空使的障眼法，变了些癞蛤蟆、长尾蛆来骗师父。唐僧居然相信了，念起紧箍咒，悟空头痛难忍，连连**告饶**。唐僧说："猴头，下次再犯，我就把紧箍咒连着念上二十遍！"

白骨精摇身再变，变成个老婆婆，拄着拐杖，哭着找女儿。八戒说："不好了！猴哥打死的一定是她女儿，老婆婆找人偿命来了！"悟空仔细一看，认出还是那个妖精，**毫不犹豫**，举棍就打。那白骨精又化成轻烟跑掉了，把个假尸体扔在地上。

唐僧见悟空不听话，又打死了"老婆婆"，二话

不说，就把紧箍咒足足念了二十遍，把悟空的头勒得

像个细腰葫芦。悟空疼得满地乱滚，只说："师父别

念了！"

唐僧说："你为什么不听话，连着打死人？"

悟空说："那是妖精。"

"胡说！哪有这么多妖精！我不要你做徒弟，你

回去吧！"

悟空就对唐僧说："师父如果不要我了，就请把

头上这个箍取下来。"可是唐僧只学过紧箍咒，又没

学过松箍咒，怎么能取得下来？没有办法，他只好答

应再饶悟空一次，反复嘱咐他不准再把人打死。悟空

连忙点头答应，扶着唐僧上了马，继续上路。

白骨精对悟空恨得咬牙切齿，想尽办法欺骗唐

僧，赶走孙悟空。她按下云头，又变成一个老公

公，头发雪白，手拿念珠，嘴里念佛。唐僧说："这

老公公走路还念佛呢。"八戒挑唆说："师兄打死了

他老伴和女儿，他找你偿命来了。"

虽然悟空早已认出他是妖怪，但是害怕师父又念咒语，就没有立刻动手。那白骨精却把唐僧拉下马来，说是要到官府去告他。悟空急了，抢棒就要打，没想到那妖怪却躲到唐僧的背后。

悟空见师父护着那妖精，就念动咒语，叫来本地的山神和土地神，让他们在空中拦住妖怪，然后举起棒子就要打。唐僧见他又要打人，气得念起了紧箍咒，痛得悟空倒在地上。白骨精见了，便在一旁偷偷地冷笑。悟空忍着疼，挣扎起来，一棒子打死了妖怪。

被打死的妖怪现了原形，成了一堆白骨，在脊梁骨上还刻有"白骨夫人"四个字。悟空把这些指给唐僧看。唐僧这才有点相信。不料，八戒这时却在一边插嘴："大师兄是怕师父念咒，才用了法术，变出副白骨来骗人的。"

唐僧一听，非常生气，不管悟空怎么求饶，沙僧怎样说情，一定要把悟空赶走，并且写了一张贬书，递给悟空。悟空见师父已经下定决心，长叹一声，转身握住沙僧的手，含着泪说："好好保护师父，如果遇到妖怪，就说我是他的大徒弟，妖怪就不敢伤害师父了。"

阅读心得

唐僧肉眼凡胎，没认出妖精，反而错怪悟空，我们遇到事情时，要在全面了解情况后再下结论。

好句积累卡

比喻句

唐僧见悟空不听话，又打死了"老婆婆"，二话不说，就把紧箍咒足足念了二十遍，把悟空的头勒得像个细腰葫芦。

十六、黄袍怪施计

孙悟空回到花果山后，唐僧在八戒和沙僧的保护下，继续向西天走去。

一天，他们来到了一片黑松林，唐僧肚子饿了，让猪八戒去化斋。猪八戒找了很久，也找不到人家，走得累了，就一屁股坐在草丛里休息，不知不觉竟然睡着了。

唐僧左等右等，也不见八戒回来，就让沙僧去找他，自己一个人坐在松林里。时间一长，唐僧觉得又困又累，于是站起身来四处走走，没想到走错了路，来到一座黄金宝塔下。唐僧看见塔门上挂着一幅竹帘，就掀开帘子往里看，不由得大吃一惊，塔里的石床上竟然躺着一个妖怪。唐僧就这样被妖怪抓住了。

沙僧找到熟睡的八戒后，两人回到松林里，却找不到师父，就牵着马，挑着担一路找了过来。他们发现了这个妖洞，八戒二话没说，举着钉耙就去砸门。

老妖黄袍怪听见砸门声跑了出去，和八戒、沙僧打了起来。这时，被绑在洞中的唐僧看见一个女子来到了面前，问他是从哪里来的。唐僧看她不像妖怪，就如实地告诉了她，那女子告诉唐僧，原来她是离这不远的宝象国的三公主，名叫百花羞，被妖怪抢来当妻子已经十三年了。

百花羞答应救唐僧出去，但是有一个条件，就是给宝象国国王带一封信。唐僧逃出妖洞后，来到宝象国，把公主的信交给了国王。国王得知女儿被妖精抢去，非常伤心，求唐僧救出公主。猪八戒吹牛说："我老猪本领最高，救公主包在我身上！"领着沙僧又回去找妖精。可是，他俩的本事太差，打不过黄袍怪，沙僧被抓进洞去，八戒一头拱进草丛，藏了起来。

那个黄袍怪变成一个俊俏小伙子，自称是国王的女婿，国王就相信了。他又把唐僧变成一只老虎，锁进笼子里。

唐僧变老虎精的事，很快就传开了，白龙马听见官兵的议论，知道师父是被妖怪陷害。三更时，他变成宫女的模样，想在送酒的时候趁机杀了妖怪，却被妖怪打伤了后腿，逃到了御水河里。

到了后半夜，猪八戒回到客栈，找不到师父和沙僧，就想散伙。

bái lóng mǎ kāi kǒu jiǎng huà bǎ jīn tiān fā shēng de shì gào su le zhū bā jiè
白龙马开口讲话，把今天发生的事告诉了猪八戒，
yào bā jiè qù qǐng dà shī xiōng wù kōng huí lái jiù shī fu bā jiè pà wù kōng jì
要八戒去请大师兄悟空回来救师父。八戒怕悟空记
chóu bù gǎn qù bái lóng mǎ shuō nà shì ge yǒu rén yǒu yì de hóu wáng
仇，不敢去。白龙马说："那是个有仁有义的猴王，
tā yí dìng huì jiù shī fu de
他一定会救师父的。"

bā jiè lái dào huā guǒ shān hùn dào hóu qún li gěi wù kōng kē tóu
八戒来到花果山，混到猴群里，给悟空磕头。
wù kōng shuō lǐ miàn yǒu ge shēng rén ná shàng lái yí dà qún hóu zi
悟空说："里面有个生人，拿上来！"一大群猴子
jiū máo zhuài zōng de zhuā zhù bā jiè bǎ tā èn zài dì shang wù kōng gù yì
揪毛拽鬃地抓住八戒，把他摁在地上。悟空故意
wèn nǐ shì shéi bào shàng míng lái bā jiè bǎ zuǐ yì juē shuō nǐ bú
问："你是谁？报上名来！"八戒把嘴一噘说："你不
rèn de wǒ yě gāi rèn shi zhè zhāng zuǐ ya
认得我，也该认识这张嘴呀！"

wù kōng wèn bā jiè lái gàn shén me bā jiè shuō shī fu xiǎng niàn tā wù
悟空问八戒来干什么，八戒说，师父想念他。悟
kōng mà dào nǐ zhè ge sā huǎng de dāi zi kuài shuō shí huà miǎn dǎ
空骂道："你这个**撒谎**的呆子！快说实话，免打！"
bā jiè shuō gē ya shī fu yù dào yāo jing le bái lóng mǎ ràng wǒ lái zhǎo
八戒说："哥呀，师父遇到妖精了，白龙马让我来找
nǐ de wù kōng shuō wèi shén me bù tí wǒ de míng zi bā jiè qì tā
你的。"悟空说："为什么不提我的名字？"八戒气他
shuō yāo jing gēn běn bú pà nǐ hái mà le nǐ yí dùn ne wù kōng qì huài
说："妖精根本不怕你，还骂了你一顿呢！"悟空气坏
le lì kè tóng bā jiè yì qǐ lí kāi huā guǒ shān lái dào yāo dòng yào jiù chū
了，立刻同八戒一起离开花果山，来到妖洞，要救出
shā sēng hé gōng zhǔ
沙僧和公主。

wù kōng ràng bā jiè　shā sēng yì qǐ qù bǎo xiàng guó bǎ huáng páo guài yǐn
悟空让八戒、沙僧一起去宝象国把黄袍怪引

lai　zì jǐ biàn chéng gōng zhǔ de mú yàng　zài dòng qián kū kū tí tí　yāo jing
来，自己变成公主的模样，在洞前哭哭啼啼。妖精

lián máng ān wèi　lǎo po　hái bǎ zì jǐ de bǎo zhū ná chū lái　gěi tā zhì
连忙安慰"老婆"，还把自己的宝珠拿出来，给她治

bìng　bú liào　bǎo zhū yí dào shǒu　gōng zhǔ què biàn chéng le hóu hé shang　huáng
病。不料，宝珠一到手，公主却变成了猴和尚。黄

páo guài qì jí bài huài　bá dāo jiù kǎn wù kōng　kě shì jīn gū bàng tài lì hai
袍怪气急败坏，拔刀就砍悟空。可是金箍棒太厉害

le　yāo jing dǐ dǎng bu zhù　jiù cáng jìn le shān dòng　zuì hòu　wù kōng chá chū
了，妖精抵挡不住，就藏进了山洞。最后，悟空查出

tā de lǎo dǐ　bǎ tā zhuō shàng tiān gōng　yuán lái　tā shì tiān shàng de kuí xīng
他的老底，把他捉上天宫。原来，他是天上的奎星

biàn de
变的。

wù kōng jiù huí le gōng zhǔ　bǎ táng sēng chóng xīn huī fù le rén xíng　shī
悟空救回了公主，把唐僧重新恢复了人形，师

tú hé hǎo　yì tóng shàng lù qǔ jīng qù le
徒和好，一同上路取经去了。

阅读心·得

　　悟空是个有情有义的猴王，当得知师父遇难后，他二
话不说前来营救。我们要像他一样做个有情有义的人。

十七、莲花洞遭难
shí qī　　lián huā dòng zāo nàn

yì tiān，shī tú sì rén lái dào yí ge jiào píng dǐng shān de dì fang，shān
一天，师徒四人来到一个叫平顶山的地方，山

zhōng yǒu yí ge lián huā dòng　　dòng li yǒu liǎng ge yāo guài　jīn jiǎo dài wang hé yín
中有一个莲花洞，洞里有两个妖怪：金角大王和银

jiǎo dài wang　　yāo guài men zǎo jiù tīng shuō chī le táng sēng ròu kě yǐ cháng shēng bù
角大王。妖怪们早就听说吃了唐僧肉可以长生不

lǎo　bìng qiě suàn zhǔn tā men jīn tiān yào jīng guò zhè li　yín jiǎo dài wang biàn dài
老，并且算准他们今天要经过这里，银角大王便带

zhe xiǎo yāo zài lù kǒu děng hòu
着小妖在路口等候。

tā yuǎn yuǎn kàn jiàn le sūn wù kōng　zhī dào tā hěn lì hai　yú shì yǎn zhū
他远远看见了孙悟空，知道他很厉害，于是眼珠

yí zhuàn　xiǎng chū yì tiáo guǐ jì　tā biàn chéng yí ge shuāi duàn tuǐ de lǎo dào
一转，想出一条诡计。他变成一个摔断腿的老道

shi　xiě līn līn de pā zài lù biān　hēng jiào zhe　jiù mìng
士，血淋淋地趴在路边，哼叫着："救命！"

táng sēng jiàn tā kě lián　máng bǎ bái mǎ ràng gěi tā qí　yāo guài shuō
唐僧见他可怜，忙把白马让给他骑。妖怪说：

wǒ tuǐ téng　bù néng qí mǎ　táng sēng jiù ràng wù kōng bēi zhe tā zǒu
"我腿疼，不能骑马。"唐僧就让悟空背着他走。

wù kōng xiào dào　nǐ zhè yāo jing　yě gǎn lái piàn wǒ　wǒ shī fu
悟空笑道："你这妖精，也敢来骗我，我师父

kě shì nǐ xiǎng chī jiù chī de　gù yì màn zǒu　xiǎng děng táng sēng kàn bu jiàn
可是你想吃就吃的！"故意慢走，想等唐僧看不见

了，摔死他。妖精先念

咒语，调来一座大

山，想压住悟空。

悟空把头一偏，扛着

山照样走。妖精赶

紧又调来一座山。

悟空把头一侧，

扛在另一边，挑

着山往前赶。妖

精又念咒语，调

来了泰山，悟空躲闪不

开，被压在山下。

银角大王冲上前去抓唐僧，沙僧连忙扔下行李，

过来挡住。两人一场大战，最后沙僧**筋疲力尽**，想

逃跑，被银角大王追上来，夹在左手，银角大王再

用右手抓住唐僧，乘着一阵狂风，**得意扬扬**地回

到莲花洞。金角大王说："虽然咱们抓住了唐僧，但只有除掉孙悟空，我们才能舒舒服服地吃唐僧肉。"

银角大王说："那好办，叫精细鬼和伶俐虫拿着'紫金红葫芦'和'羊脂玉净瓶'把他装进去就完了。"

悟空被压在山下，急忙念咒，叫来山神和土地神移开大山，去找师父。忽然，他看见前边金光灿灿，两个小妖捧着宝贝走来。

悟空摇身一变，变成一个老道士，对小妖说："我是蓬莱山上的神仙，想找个徒弟。你们谁想跟我去？"小妖忙跪下磕头，说愿意跟他学道。

悟空接着问："你们是从哪儿来的？"妖怪说："从莲花洞来的。"

"要往哪儿去？"妖怪说："去抓孙悟空。"

悟空装作吃惊的样子，说："那孙悟空我倒也知道，有些本事。就凭你们两人，行吗？"

其中一个妖怪说："行的。我们大王有些法术，

diào lái sān zuò dà shān bǎ tā yā zài shān xia　　xiàn zài sūn wù kōng cùn bù nán yí
调来三座大山把他压在山下，现在孙悟空寸步难移

ne　　　lìng wài yí ge yāo guài shuō　　　dài wang jiào wǒ men ná le liǎng ge bǎo bèi
呢。"另外一个妖怪说："大王叫我们拿了两个宝贝

qù zhuāng tā
去装他。"

wù kōng hào qí de wèn　　shén me bǎo bèi　　qí zhōng yí ge xiǎo yāo shuō
悟空好奇地问："什么宝贝？"其中一个小妖说：

wǒ ná de shì hóng hú lu　　tā ná de shì yù jìng píng
"我拿的是红葫芦，他拿的是玉净瓶。"

wù kōng xīn li àn àn gāo xìng　接 zhe wèn　　zěn me yòng bǎo bèi zhuāng
悟空心里暗暗高兴，接着问："怎么用宝贝装

tā　　xiǎo yāo shuō　　bǎ hú lu zuǐ dǎ kāi cháo xià　　jiào sūn wù kōng de míng zi
他？"小妖说："把葫芦嘴打开朝下，叫孙悟空的名字，

zhǐ yào tā yì dā yìng　　jiù huì bèi zhuāng jìn qù　　yí huìr　jiù huàchéngshuǐ le
只要他一答应，就会被装进去，一会儿就化成水了。"

wù kōng xīn xiǎng　　zhè bǎo bèi dào yě lì hai　　ràng wǒ xiǎng ge bàn fǎ piàn
悟空心想：这宝贝倒也厉害。让我想个办法骗

guò lái　　　wù kōng jiù qiāo qiāo bá xià yì gēn háo máo　　biàn chū yí ge zǐ jīn hóng
过来。悟空就悄悄拔下一根毫毛，变出一个紫金红

hú lu　　duì xiǎo yāo shuō　　nǐ nà zhuāng rén de hú
葫芦，对小妖说："你那装人的葫

lu yǒu shén me xī han　　wǒ zhè hú lu néng zhuāng
芦有什么稀罕，我这葫芦能装

tiān ne　　xiǎo yāo bú xìn　　wù kōng
天呢！"小妖不信。悟空

niàn zhòu jiào lái tiān shén
念咒叫来天神，

shuō　　gǎn kuài bǎ tiān
说："赶快把天

jiè wǒ zhuāng zhuang
借我装装，

不然，我就打上灵霄宝殿！"天神赶忙用黑旗把天空遮住，四周一片漆黑。

小妖害怕了，说："快把天放出来吧。"悟空再念咒，天神卷起黑旗，天地光明。小妖说："这么好的宝贝，我们换了吧。"悟空说："不换！"小妖说："求你了，我们用两件宝贝换你一件。"

悟空装出很**勉强**的样子，拿过两件宝贝，把个假葫芦递给小妖，纵身跳上天空，去找银角大王算账了。

阅读心·得

唐僧仁慈，见到妖怪变的断腿道士，可怜他，结果却惹祸上身，我们有时候要认清我们帮助的对象。

读一读 写一写

血淋淋

十八、智斗银角王

　　莲花洞的金角大王和银角大王抓住唐僧，本想用宝贝杀掉孙悟空，反倒让悟空把葫芦和净瓶都骗了去。金角大王得知后非常生气，银角大王劝道："没事，我们还有七星剑和芭蕉扇两件宝贝，不如派人到压龙洞请老母亲一块来吃唐僧肉，让她把幌金绳也一起带来，这样好捉孙悟空。"

　　两个小妖奉命前往压龙洞。悟空又想出了个妙计，飞出洞外，变成一个小妖，追上那两个妖怪，说是奉命一起去压龙洞。在离洞很远的地方，悟空一棒打死了两个小妖，然后拔了两根毫毛，变出了两个假小妖。

　　悟空进了压龙洞，向老妖婆说明了来意。老妖婆十分高兴，立刻带着幌金绳，坐上轿子，跟着悟空去莲花洞。走了几里路后，悟空突然变回了原来的面目，把老妖婆和抬轿的小妖全都打死，原来那个老妖婆是一个九尾狐狸精。

悟空找到幌金绳，放在袖子里，又拔下了四根毫毛，变成抬轿的小妖，自己则变成老妖婆坐到轿子里。不一会儿就来到了莲花洞。

两个妖怪连忙磕头迎接。

悟空说："我儿，起来吧。"猪八戒也被银角大王捉住吊在洞顶，一眼看见猴尾巴，忍不住哈哈大笑起来。悟空看了他一眼，说："儿啊，

唐僧肉我不太稀

罕，这猪八戒耳朵挺好，割下来给我下酒吧。"八戒

嚷道："好个猴子，你是专来割我耳朵的呀！"

两个妖怪一听，举剑就砍悟空。悟空拿出幌金

绳来捆银角大王，不料银角大王念个咒语，悟空反

倒被绳子捆住，让妖精拴在柱子上，还搜走了红葫

芦和玉净瓶。

悟空趁妖精不注意，变把钢锉，锉断绳子，变

个假悟空拴在那里，自己溜出洞外，大声叫："孙

悟空的弟弟悟空孙来了！"银角大王抱着个红葫芦

跑出来，喊一声："悟空孙！"孙悟空心想，那只是

个假名字，就答应了一声。谁知照样被吸进了红葫

芦。幸好不一会儿，银角大王以为"悟空孙"已经

化成水，打开盖子想看一看，孙悟空趁机变作小虫

溜了出来。他落地后变成个小妖，站在一旁。银角

大王顺手把红葫芦递给他，说："去把那猴子的臭水

倒掉！"悟空变的小妖接过红葫芦藏了起来，用毫毛

变了个假葫芦还给银角大王。然后他来到洞外大叫：

"行者孙来了！"又叫一声："银角大王！"银角大

王不留神，答应了一声，"呼"的一下，被吸进红葫

芦。孙悟空打进莲花洞，先找到玉净瓶，又**收服**了

金角大王，取得了七星宝剑和芭蕉扇，然后救出唐

僧、八戒和沙僧。

悟空得了五件宝贝，和师父、师弟们高高兴兴

地上了路。不料，半路上被太上老君拦住了。原

来，那五件宝贝都是老君的。两个妖怪是给老君看

守金炉和银炉的两个童子。老君救出二妖，又把二

妖变为二童子，向悟空索回五件宝贝，带领二童子

回兜率宫去了。

阅读心·得

　　孙悟空凭借自己的聪明才智打败妖怪，救出师父和师弟们。我们遇到危险也要向悟空学习，不要着急，要学会随机应变。

十九、收服红孩儿

有一个叫红孩儿的妖怪，在火焰山修炼了三百年，练成了非常可怕的三昧真火。他听说唐僧的肉特别好吃，天天盼着唐僧早点儿到来。

一天，红孩儿跳上天空，向东方观察，远远地看见孙悟空、猪八戒和沙和尚保护着唐僧从远处走来，高兴得手舞足蹈，忘记了隐藏自己的妖气。悟空看见空中升起一朵火红的妖云，连忙把师父推下白龙马，叫道："有妖怪，快保护师父！"八戒和沙僧赶紧拿出兵器，同孙悟空一起把师父和白龙马围护起来。

红孩儿很奇怪：是谁这么有本事发现了我？看来，硬捉是不行的，不如换个方法！于是他落下云头，在树林中变成一个小男孩，光着身子，被捆住手脚吊在树上，等在唐僧经过的路边，不停地喊着"救命"。

唐僧说："悟空，我听见有人喊救命，你去看看！"孙悟空知道是妖精弄鬼，就使了一个移山缩地法，把妖精远远地甩在身后。

红孩儿哪里肯就此罢休，赶快追到前面树林，继续用和前面一样的诡计，唐僧碰巧看见，见是一个小孩，唐僧赶紧叫徒弟们救下他。红孩儿心想：孙悟空最厉害，只要制服了他，其他的人就好办了！于是他连忙说："师父！我的手脚被捆得又酸又麻，乘不得马。那位长嘴大耳朵的师父长得好丑，黑青脸的师父很可怕，不如叫这位毛脸雷公嘴的师父背我吧！"

孙悟空正想对付这个妖精，就高兴地说："好的，我来背！"孙悟空背着红孩儿故意落在后面，想在师父看不见的时候摔死妖精。可是，红孩儿事先猜到了悟空的用意，就用重身法来压悟空，真身却跳上半空，刮起一阵狂风把唐僧抓走。

悟空把红孩儿的假身摔成肉饼，连忙向前追赶，只见八戒和沙僧还趴在地上避风，师父却早已不见踪影。悟空叫来山神和土地，从他们那里知道红孩儿住在火云洞里。

火云洞外，红孩儿让小妖推出五辆小车摆放好，自己拿着火尖枪迎战孙悟空。两个人大战几十回合，八戒看见红孩儿只有招架之功，一点还手的力量都没有，就抡起钉耙，朝红孩儿当头打去。红孩儿招架不住，慌忙逃回洞口，跳上中间那辆小车，举起拳头朝自己的鼻子打了两拳。

一会儿，他的嘴里就喷出了烈火，鼻子里喷出了浓烟，五辆小车齐放大火，火云洞前立刻变成一片火海。八戒慌了，也不管悟空，自己跑到河对面。

孙悟空却被妖怪一口浓烟喷在脸上，熏得头晕眼花，分不清东南西北，一头钻到河里。谁知被冷水一激，弄得火气攻心，一口气没接上来，晕了过去。

八戒、沙僧救起悟空。幸好八戒曾经学过按摩禅法，按按这，揉揉那，好一会儿才把悟空救醒。悟空醒后和八戒、沙僧商量要去请观音菩萨，可是悟空腰酸背痛，浑身无力，驾不起云。八戒便自告奋勇去请观音。

没想到，八戒在路上却被红孩儿抓起来了。

悟空等了很久不见八戒回来，就到洞前打听。听见红孩儿吩咐两个小妖去请他的父亲牛魔王来吃唐僧肉。牛魔王是孙悟空在花果山时的结拜兄弟，模样他还记得，于是，他拔了根毫毛变成了牛魔王，在小妖的必经之路等着。

那些小妖不能分辨真假，就把悟空当作牛魔王请到了火云洞。红孩儿拜见了父亲，说要杀唐僧吃肉。悟空说："我这几天正在吃斋，还是过几天再杀吧！"这下引起了红孩儿的怀疑。红孩儿想试探牛魔王的真假，就假装忘了自己的生日，要悟空告诉他。悟空哪里知道，让他明天去问他的母亲铁扇公主。红孩儿认定这个牛魔王是假的，便与他大战了起来，几十回合过后，红孩儿又要喷火，孙悟空只好败下阵来。

最后，悟空把观音请来了。菩萨叫悟空把红孩儿引出来。悟空和红孩儿边打边退。红孩儿紧追不舍，来到观音跟前。

悟空躲到菩萨的背后。红孩儿找不到悟空，举枪向菩萨刺去。菩萨变成一道金光，带着悟空飞上九重天，莲花台却扔在原处。红孩儿**得意忘形**，学着菩萨的样盘腿坐进莲花台，不料莲花台的花瓣突然不见了，竟变成一把把锋利的尖刀。

红孩儿连忙忍着痛去拔刀子。菩萨念了个咒语，天罡刀都变成带倒钩的，拔也拔不下来。红孩儿连忙求饶，菩萨问他是否愿意出家，红孩儿疼痛难忍，表示愿意出家，菩萨就封他为善财童子，接着用手一指，红孩儿身边的刀子都不见了。

红孩儿野性不改，拿起火枪又要刺菩萨。菩萨扔出五个金箍，一个套在他脖子上，其他四个套在他四肢上，接着菩萨念动咒语，疼得红孩儿在地上乱滚。菩萨一停下来，红孩儿的头就不疼了，他拿起长枪又想刺菩萨。

菩萨用杨柳枝蘸了一点甘露洒过去，叫了声：

"合!"只见红孩儿双掌合在胸前，怎么使劲也分

不开，没办法，只好低头下拜。菩萨让悟空赶快救出

唐僧、八戒，好早些上路，然后带着善财童子回南

海去了。

悟空告别了观音，找到沙僧，救出师父和八

戒，然后跟着师父继续向西天走去。

阅读心得

红孩儿野性不改，几次想要刺伤菩萨，都被制服，我

们要老实做人，做一个善良的好孩子。

日积月累

近义词：慌忙——匆忙　　　反义词：慌忙——从容

二十、黑水河遇险
èr shí　　　hēi shuǐ hé yù xiǎn

走了一个多月，唐僧、孙悟空、猪八戒、沙和尚一行来到一条大河边。只见河水一眼望不到边际，河中黑水相互撞击，卷起一朵朵浪花。师徒们正在发愁没法过河时，忽然看见一人驾着一艘小船，顺流而下。唐僧连忙让沙僧喊那小船靠岸。

那人把船划到岸边说："我这船小，一次不能把你们全都渡过去。"唐僧见船确实很小，只好分两次过河。八戒说："我和师父先过，然后是师弟和行李马匹，猴哥就自己跳过去吧！"商量好了，八戒扶着唐僧上了船。

船到了河中间，突然狂风大作，波涛汹涌。小船在巨浪中像一片树叶，忽隐忽现。不一会儿，

fēng píng làng jìng　　zhǐ shì xiǎo chuán yǐ jīng zhǎo bu dào zōng yǐng
风平浪静，只是小船已经找不到踪影。

shā sēng yào dào xià
沙僧要到下

yóu qù zhǎo shī fu　　wù kōng shuō　　rú guǒ shì fān le chuán
游去找师父，悟空说："如果是翻了船，

bā jiè shuǐ xìng nà
八戒水性那

me hǎo　　zǎo gāi bēi shī fu shàng lái le
么好，早该背师父上来了！"

wù kōng rèn dìng shī fu hé
悟空认定师父和

bā jiè shì bèi yāo guài tuō xià shuǐ
八戒是被妖怪拖下水

qù le　　shā sēng jué de yǒu
去了。沙僧觉得有

lǐ　　jiù xià shuǐ qù jiù shī
理，就下水去救师

fu　　zhǐ jiàn tā tiào jìn shuǐ
父，只见他跳进水

li　　niàn zhe bì shuǐ zhòu
里，念着避水咒，

dà tà bù de xiàng shuǐ dǐ zǒu
大踏步地向水底走

qù　　méi zǒu duō jiǔ　　héng
去。没走多久，"衡

yáng yù hēi shuǐ hé shén
阳峪黑水河神

fǔ　　jiù chū xiàn zài
府"就出现在

yǎn qián
眼前。

shā sēng tōu tōu
沙僧偷偷

duǒ zài fǔ wài　　tīng
躲在府外，听

见里面有人说:"你们把蒸笼抬上来,把那两个和尚给蒸了。你呢,去请我舅舅。"沙僧一听,**火冒三丈**,举起降魔杖,一边打门一边叫:"快放我师父、师兄出来!"守门的小妖连忙跑回去报告老妖。

老妖一听,怒上心头,手里拿着钢鞭走出门来大声问道:"谁敢打我的大门?"沙僧要他赶快放了师父,妖怪竟要把沙僧抓住一块儿吃了。两个人就在水底打了起来,三十多个回合仍不分胜负。沙僧决定把妖怪引出水面,叫悟空打他。

沙僧假装败下阵来,可是妖怪并不追赶,回府去了。沙僧没有办法,只好跳出水面,把水下发生的事告诉悟空。"这妖怪的舅舅是谁呢?"悟空**自言自语**。

谁知话音未落,黑水河神就从旁边的小水沟里走出来,见了悟空低头就拜。

河神告诉悟空:"妖怪是去年涨潮时从西海来到黑水河的,他用武力霸占了黑水河神府。我年老体衰，打不过妖精，就到西海去告他，谁知西海龙王敖闰是他的舅舅，不准我告。我想到玉帝那告，但是因为官职太低，见不到玉帝。"

悟空听完，决定去找西海龙王。他一个筋斗云来到西海，念着避水咒走入水中。忽然他看见一个黑鱼精拿着一个金盒子从他身边跑过，心里明白这黑鱼精是从黑水河来的，就一棒子把黑鱼精打死。

悟空打开盒子，见里面放着妖怪请敖闰去吃唐僧肉的请帖。悟空连忙把请帖放到怀里，得意地说："敖闰哪，敖闰！证据让我老孙拿到了！"这时，已经有巡逻的夜叉把悟空来到的消息报告给西海龙王，龙王领着虾兵蟹将出宫相迎。

龙王请悟空进水晶宫去喝茶，悟空拿出那张请帖递给龙王说："我不喝你的茶，我来喝你的酒了。"龙王一看，大吃一惊，慌忙给悟空跪下请罪。原来那妖怪是敖闰的第九个外甥小鼍龙，父母

dōu yǐ sǐ le　　 lóng wáng jiù ràng tā zài hēi shuǐ hé zàn shí zhù xià
都已死了，龙王就让他在黑水河暂时住下。

　　　　lóng wáng zěn me yě méi yǒu xiǎng dào wài sheng jìng rě dào sūn wù kōng de tóu
　　龙王怎么也没有想到外甥竟惹到孙悟空的头

shang　 lián máng ràng tài zǐ dài lǐng wǔ bǎi lóng bīng zhuō ná tuó lóng　　 jiē zhe tā yòu
上，连忙让太子带领五百龙兵捉拿鼍龙。接着他又

yào ān pái jiǔ cài　 gěi wù kōng péi lǐ　 wù kōng jiù shī xīn qiè　 gào bié le
要安排酒菜，给悟空赔礼。悟空救师心切，告别了

lóng wáng hé tài zǐ yì qǐ lí kāi le xī hǎi
龙王和太子一起离开了西海。

　　　　lái dào hēi shuǐ hé　 tài zǐ qǐng wù kōng zài àn shang děng zhe　 zì jǐ dài
　　来到黑水河，太子请悟空在岸上等着，自己带

zhe lóng bīng zài hēi shuǐ hé shén fǔ qián ān yíng zhā zhài　 rán hòu pài bīng tōng zhī xiǎo tuó
着龙兵在黑水河神府前安营扎寨，然后派兵通知小鼍

龙。鼍龙知道后心里觉得奇怪：明明是请舅舅，为什么表兄来了？来就来吧，为什么还要带兵？

鼍龙害怕出事，带领小妖，拿着钢鞭来到太子面前。太子劝他赶快把唐僧、八戒放了，妖鼍不但不听，反而大骂太子。太子一气之下，和妖鼍打了起来。双方的鱼兵虾将也动起手来。一场混战，直打得天昏地暗。太子见无法取胜，就用了一个计策，故意露出一个破绽。妖鼍以为有机可乘，一头钻了进去，太子猛地转身，一下子把妖鼍打倒在地。龙兵们一起冲上前去，把妖鼍五花大绑，押到岸上。

太子请孙悟空惩治小鼍龙。悟空看在西海龙王的情面上，饶了小鼍龙的性命。他问唐僧和八戒被关在哪里。小鼍龙说他们还被捆在黑水河神府里，沙僧立刻在河神的带领下，到神庙去救师父和八戒。

不一会儿，河神和沙僧分别把唐僧、八戒背上岸来。太子也押着小鼍龙回西海去见龙王。河神为了

gǎn xiè wù kōng bāng tā duó huí shén fǔ　　shī zhǎn fǎ shù　　bǎ shàng liú de shuǐ dǎng

感谢悟空帮他夺回神府，施展法术，把上流的水挡

zhù　　zài hé chuáng dǐ kāi chū yì tiáo dà lù　　yú shì　　shī tú sì rén guò le

住，在河床底开出一条大路。于是，师徒四人过了

hé　　yòu xiàng xī tiān zǒu qù

河，又向西天走去。

阅读心得

　　悟空遇事不慌，冷静分析并认定师父和八戒被妖怪拖下了水。我们遇到困难时也要冷静。

照样子　写句子

　　小船在巨浪中像一片树叶，忽隐忽现。

_____像_____。

二十一、戏耍三妖道

èr shí yī　　　　xì shuǎ sān yāo dào

一天，唐僧和徒弟们来到车迟国。
yì tiān　　　táng sēng hé tú　dì men lái dào chē chí guó

忽然听见一声吆喝，好像有很多人在呐喊
hū rán tīng jiàn yì shēng yāo he　　hǎo xiàng yǒu hěn duō rén zài nà hǎn

一样，唐僧害怕，勒住马不敢往前走。悟
yí yàng　　táng sēng hài pà　　lè zhù mǎ bù gǎn wǎng qián zǒu　　wù

空说："让俺老孙去看一看！"说完跳
kōng shuō　　ràng ǎn lǎo sūn qù kàn yi kàn　　shuō wán tiào

到空中，驾上筋斗云向前飞去。
dào kōng zhōng　　jià shàng jīn dǒu yún xiàng qián fēi qù

原来是一个道士监
yuán lái shì yí ge dào shi jiān

押着一群和尚在干活。
yā zhe yì qún hé shang zài gàn huó

悟空变成一个
wù kōng biàn chéng yí　ge

路过的小道
lù guò de xiǎo dào

士，向那
shi　　xiàng nà

道士打听，才知道二十年前车迟国大旱时，来了虎

力、羊力、鹿力三个道仙，和这里的和尚比试求雨

的本领，结果道士赢了，被国王封为国师，从此便

奴役着全国的和尚。

悟空又问了和尚，和尚说的和道士说的一样，

并说天上的神仙在梦中告诉他们，只有等唐僧的

大徒弟孙悟空来了，才能救他们。孙悟空听了心里很

得意，一棒子打死了道士，露出了本来的模样，放走

了大多数和尚，领着本城数十个和尚来见唐僧，

说明了情况。

晚上，师父睡下后，孙悟空兄弟三人驾着云悄

悄来到三清观。三清观里很热闹，三个变成道士模

样的妖魔正领着小道士们祷告。桌上摆了许多好吃

的东西。

八戒馋得口水直流，伸手就要抓。悟空拉住

他，说："这样会被人发现的，等人走了之后再说。"

"猴哥，我都等不及啦！"

沙僧也说："二师兄说得对，这些人走光，不知要等到什么时候！"

孙悟空眨眨眼："我有办法！"说着，一口气吹向三清殿。刹那间，狂风大作，飞沙走石，吓得道士们纷纷逃避。

悟空叫八戒把三尊泥塑的三清塑像扔进厕所，然后三个人变成三尊塑像的样子，大吃大喝起来。

这时，一个道士来到三清殿寻找丢掉的手铃，他摸来摸去，摸到了手铃。正想回头，忽然听到呼吸的声音，非常害怕，就急急忙忙

地往外走，不知怎么，踩在一颗荔枝核儿上，滑了一跤，把手铃撞得粉碎。猪八戒忍不住哈哈大笑，把道士吓得三魂丢了七魄，连滚带爬地跑到方丈门外，敲着门喊："不好了，师公，不好了！"

三个妖精还没有睡，开门问："什么事情，这么吵？"

道士战战兢兢地说："弟子忘了手铃，去殿上寻找，听见有人在哈哈大笑，把我吓死了。"

妖精连忙吩咐手下："快点灯！我倒要看看，到底有什么妖怪。"

悟空、八戒和沙僧见三个妖精进来，就停止说话，变成塑像的模样一动不动地坐着。

三个妖精一看，供物全被吃了，感到奇怪。鹿精说："像是人吃的，有核儿的都吐了核儿，有皮的都剥了皮，怎么不见个人？"

羊精说："一定是我们平时供养三位天尊诚心诚

意，而且带动了全国人，非常勤快，所以感动了他们。现在一定是三位天尊降临了，我们不如趁这个机会，向天尊求一些圣水。"

于是三个妖精磕头祷告，请求三位天尊赐给他们一些圣水。悟空见他们没完没了地磕头，怎么也不肯离去，就说："晚辈们，想要我给你们一些圣水，那很容易。"

三个妖精连忙叩头说："望天尊考虑弟子平时的恭敬供养，赐一些圣水。弟子感恩不尽。"

悟空不情愿地说："既然如此，取器皿来。"

三个妖精一齐磕头谢恩。虎精扛来一口大缸，鹿精端来一个大盆，羊精找来一个大花瓶。

悟空说："你们都到殿外去，关上门。天机不可泄露。"

孙悟空把三个妖精打发出去，在花瓶中撒了一泡猴尿，八戒在旁边一看，十分高兴："哥呀，我和你做了几年的兄弟，这样的事情却没做过，有意思。"于是呆子揭开衣服，呼啦啦溺了一大盆，沙僧也溺了半缸。

三个妖精，赶紧端起来品尝。尝过之后，三个妖精你看看我，我看看你，都说又臊又臭，不好喝。

悟空、八戒、沙僧忍不住哈哈大笑，现出本相，驾起云腾空而去。

三个妖精气得捶胸顿足，只好自认倒霉。

阅读心·得

悟空打死道士，解救了一部分受奴役的和尚，我们在平时的生活中也要多做善事。

急急忙忙

二十二、车迟国斗法

第二天唐僧进宫换关文，国王让四人上殿。

悟空递上关文，国王正在看，一位大臣奏报："三位国师来了。"国王忙离了龙椅，躬身相迎。

三个妖精变成的道长将昨日发生之事禀奏了国王。国王大怒，立即传旨，要斩唐僧师徒。

悟空说："陛下，国师的话不可信。"这时又有三四十名百姓进殿磕头说："一春无雨，天气大旱，求国师降雨。"国王听罢，有了主意，说："你们敢和国师赌求雨吗？求下雨来，放你们西去，求不下，把你们斩首。"悟空立即同意了。

虎力大仙自以为法术高强，就抢先登上高坛祈雨。他口中念念有词，又是烧香，又是挥剑，第

一声令牌响了

后，空中就有

了风。悟空见他有

些真本事，就跳到空

中，让风婆马上停止，

又让雷公电母在一旁休

息，等他的命令。

　　虎力大仙见风停了，感到

奇怪，接着打下第二道、第三道、

第四道令牌，叫来四海龙王。

悟空连忙把情况告诉他们，

让四海龙王一滴雨也不要下。

安排好后，悟空返回地

面，正好碰上国王问

虎力大仙为什么没有

下雨，虎力大仙撒谎说龙

王不在家。悟空说："还是看我的吧！"

他把金箍棒朝天上一指，风神就赶紧打开风口袋放出大风；金箍棒又向上一指，云神、雾神马上放出浓云大雾；金箍棒再向上一指，雷公、电母立刻电闪雷鸣；悟空把金箍棒第四次指向天空，四海龙王毫不犹豫地下起大雨。雨下了很长一段时间，悟空把金箍棒第五次指向天空，不一会儿，雨停云散，变得晴空万里。

虎力大仙不服气，又要比坐禅，叫"云梯显圣"。两个云梯很快就搭好了，高高的，非常危险。虎力大仙首先驾云登上云梯。孙悟空变作一朵五色彩云，把唐僧也稳稳地送上高台。

过了一会儿，唐僧露出痛苦的表情。悟空很奇怪，变成小虫，飞上去一看，啊！原来师父的光头上叮着一个豆粒大的臭虫！悟空心想：这一定是妖怪搞的鬼！他杀死臭虫，变成一条大蜈蚣，爬到虎力大仙脸上，狠狠地咬了一口。虎力大仙大叫一声，从云梯上倒栽下来。

鹿力大仙为了挽回面子，又要同唐僧比试"隔板猜物"。

皇后把一套漂亮的服装放在柜子里。鹿力大仙抢先猜："这是皇后的衣服。"唐僧说："不对，这是一口破钟。"打开柜子一看，果然是口破钟。原来，悟空变成一只小虫，钻到柜子里，见柜里放着一套宫服。便把宫服变成破钟，然后钻出柜子，悄悄把结果告诉了唐僧。

第二次，国王亲手把一个大鲜桃放入柜中。羊力大仙说："里面是鲜桃。"唐僧说："不对，里面是一个桃核儿。"打开一看，果然是桃核儿。这次还是悟空钻到柜里捣的鬼。他吃掉桃子，把桃核儿放在盘中，当然鲜桃也就成了桃核儿。

第三次，国王把一个小道童放在柜子里面。虎力大仙说："柜子里是个道童。"唐僧说："不对，是小和尚。"结果，还是唐僧说得对。这次还是悟空钻到柜子里捣的鬼。他变成鹿力大仙的样子，骗道童说是为了赢和尚，把道童的头发剃掉。悟空又把道童的道服变成和尚服，拔根毫毛变成木鱼，让他拿着。所以道童成了和尚。

三个国师恼羞成怒，同孙悟空赌起了性命：虎力大仙同孙悟空赌砍头。

刽子手砍下悟空的头，用脚踢出很远。悟空用腹腔高喊"头来！"可是，他的头被虎力大仙唤来的土地神按住了。不过，这难不住悟空，他把身体左右一摇，又长出一个头来。

虎力大仙被砍下头，也像悟空那样用腹腔高喊"头来！"悟空一见，拔根毫毛，变成一只大黄狗，叼上头就跑。虎力大仙的头回不来，栽倒在血泊中，原来是一只老虎。

鹿力大仙同孙悟空赌剖腹剜心。孙悟空让刽子手把腹部割开，自己拿出肠子，一边玩，一边整理，好一会儿才放回腹中。然后，他吹口仙气，变得和原来一模一样。

鹿力大仙也像孙悟空那样摆弄着自己的内脏，可是，他的内脏冷不防被孙悟空变出的一只饿鹰抓走。没有了内脏的鹿力大仙死在刑场上，原来是一只白鹿。

羊力大仙同孙悟空赌油锅洗澡。孙悟空跳进烧滚的巨大油锅内，翻腾跳跃，玩得非常高兴。玩累了，还在油锅里睡了一觉呢！不过，可把师父和师弟们吓坏了！

羊力大仙也像孙悟空那样在油锅内玩耍。悟空觉得奇怪，伸手一摸，咦？油是凉的。他往锅里一看，有条冷龙正在锅底。悟空叫北海龙王将冷龙捉走。油很快翻滚起来，把羊力大仙炸得皮焦肉烂，原来是一只羚羊。

虎力大仙、鹿力大仙、羊力大仙**不自量力**，最终落了一个可悲的下场。

国王知道后，哭得跟泪人一样。悟空劝他："有什么好难过的，他们是妖怪，想来霸占你的国家！"

国王这才止住哭声，准备了素宴感谢唐僧师徒，并放了那些做苦力的和尚。

第二天，唐僧师徒告别了国王，继续西行。

阅读心·得

虎力大仙、鹿力大仙和羊力大仙三个妖怪自不量力与悟空比赛，结果都落了个悲惨的下场，我们一定要量力而行。

照样子　写句子

孙悟空让刽子手把腹部割开，自己拿出肠子，一边玩，一边整理，好一会儿才放回腹中。

_____，一边_____，一边_____。

120

二十三、夜救童男女

一天傍晚，唐僧师徒来到一条大河边。河边的石碑上写着：通天河，径过八百里，亘古少人行。孙悟空跳上天空观看，宽阔的河面上静悄悄的，一只船也没有。师徒见天色已晚，又无法过河，就到陈家庄借宿。

说来真巧，借宿的这家正在请和尚念经做佛事，一见来的四位是大唐高僧，就连忙请进家中。念经的和尚们见到孙悟空、猪八戒和沙和尚，以为是妖怪来了，就纷纷逃出陈家。原来准备好的、足够一百五十多人吃的饭菜，让八戒、沙僧美美地吃了一顿。

吃饭的时候，唐僧见主人偷偷地流泪，就奇怪

de wèn　nín wèi shén me kū wa　shì bu shì xián wǒ de tú dì men chī de tài
地问："您为什么哭哇？是不是嫌我的徒弟们吃得太

duō le
多了？"

zhǔ rén yáo yao tóu shuō　bú shì　shì yīn wèi wǒ jiā yǒu dà zāi nàn
主人摇摇头说："不是，是因为我家有大灾难

le　wù kōng lián máng còu guò lái wèn　kuài shuōshuo　shuō bu dìng ǎn lǎo sūn
了！"悟空连忙凑过来问："快说说，说不定俺老孙

néngbāngdiǎnr　máng
能帮点儿忙。"

zhǔ rén cā le cā yǎn lèi shuō　tōng tiān hé
主人擦了擦眼泪说："通天河

yǒu wèi líng gǎn dài wang　měi nián dōu yào chī tóng nán
有位灵感大王，每年都要吃童男

tóng nǚ　jīn nián lún dào wǒ nǚ ér hé zhí zi
童女。今年轮到我女儿和侄子，

jīn wǎn jiù yào sòng dào líng gǎn dài wang miào　suǒ
今晚就要送到灵感大王庙，所

yǐ　wǒ rěn bu zhù jiù kū le　qǐng gāo
以，我忍不住就哭了，请高

sēng yuán liàng
僧原谅！"

yuán lái shì zhè
"原来是这

yàng　wù kōng huī hui shǒu
样！"悟空挥挥手

shuō　bǎ nǐ zhí zi jiào
说，"把你侄子叫

122

出来，让大家看看。"

不一会儿，里面跑出一个七岁的小男孩。他不知道今晚就要被灵感大王吃掉，还**一蹦一跳**，玩得很高兴。

悟空走到男孩身边，摇身一变，变得同男孩一模一样。谁也搞不清哪个是真，哪个是假。

悟空变回本相，问道："我能替你侄子去吗？"

"能去，能去！"主人赶忙磕头谢恩。

童男有了，童女怎么办？主人全家还是高兴不起来。

悟空**笑嘻嘻**地指着八戒说："我这长嘴大耳朵的胖师弟做童女最合适。"

八戒噘着嘴说："猴哥就会捉弄我！庞大的东西我能变，小女娃娃我怎能变得来？"话音未落，小女孩已被家人领到面前。八戒端详了一会儿，把身体摇了好半天，才把脑袋变过来。一个小女孩的脑袋长在一个大胖的和尚身上，怪怪的，非常好玩儿！没

bàn fǎ　　wù kōng zhǐ hǎo chuī kǒu xiān qì bāng tā　bǎ shēn tǐ biàn guò lái
办法，悟空只好吹口仙气帮他把身体变过来。

bā jiè gāng biàn wán tóng nǚ　　jiù tīng wài miàn yǒu rén hǎn　　shí jiān dào
八戒刚变完童女，就听外面有人喊："时间到

la　kuài sòng tóng nán tóng nǚ　　jiù zhè yàng　　sūn wù kōng hé zhū bā jiè bèi xiāng
啦，快送童男童女！"就这样，孙悟空和猪八戒被乡

qīn men tái dào le líng gǎn dài wang miào
亲们抬到了灵感大王庙。

bā jiè zuò zài gòng zhuō shang hěn hài pà　　xiǎo shēng duì wù kōng shuō　　shī
八戒坐在供桌上很害怕，小声对悟空说："师

xiōng　　bù zhī yāo jing xiān chī tóng nán hái shi xiān chī tóng nǚ
兄，不知妖精先吃童男还是先吃童女？"

wù kōng zhǎ zha yǎn　　shuō　　yào tā xiān chī wǒ hǎo le
悟空眨眨眼，说："要他先吃我好了。"

zhèng shuō zhe　　wài miàn guā qǐ dà fēng　　líng
正说着，外面刮起大风。灵

gǎn dài wang dào le　　xiàng yǐ wǎng yí yàng　　líng gǎn
感大王到了！像以往一样，灵感

dài wang zhí bèn tóng nán　　wù kōng tū rán kāi kǒu
大王直奔童男。悟空突然开口

shuō　　xiān chī wǒ ba　　yāo jing xià le yí
说："先吃我吧。"妖精吓了一

tiào　　xīn xiǎng　　yǐ qián wǒ yì lái　　tóng nán
跳，心想：以前我一来，童男

tóng nǚ zǎo jiù xià sǐ le　　zhè ge
童女早就吓死了，这个

tóng nán dǎn dà
童男胆大！

hái shi xiān chī tóng
还是先吃童

nǚ ba　　xiǎng
女吧！想

124

zhe　　yòu zhuǎnxiàng bā jiè
着，又转向八戒。

bā jiè máng shuō　　　dài wang hái shi xiān chī tóng nán ba　　　bú yào huài le
八戒忙说："大王还是先吃童男吧，不要坏了

guàn lì　　　　yāo jing yǐ jīng jí bù kě nài　　　nǎ guǎn nà me duō　　shēn shǒu jiù
惯例。"妖精已经急不可耐，哪管那么多，伸手就

zhuā　　bā jiè tiào xià gòng tái　　xiàn chū běn xiàng　　jǔ dīng pá jiù dǎ　　líng gǎn dài
抓。八戒跳下供台，现出本相，举钉耙就打。灵感大

wanghuāng máng suō shǒu　　dāng　de yì shēng　　liǎng kuài hěn dà hěn dà de yú lín
王慌忙缩手，"当"的一声，两块很大很大的鱼鳞

luò zài dì shang　　yuán lái tā shì yí ge jīn yú jīng
落在地上。原来他是一个金鱼精。

阅读心·得

　　悟空、八戒心肠慈悲，变成童男童女，帮助小孩免受
灾难。我们也要尽力帮助别人。

读一读　写一写

　　静悄悄

二十四、大战金鱼精

金鱼精是通天河里的妖怪。孙悟空和他大战一场，把他打得落荒而逃。

金鱼精逃回水里的宫中，垂头丧气。他想吃唐僧肉，又害怕孙悟空。这时，一个小妖出了个主意："大王有呼风唤雨、降雪结冰的本领，今晚可以把通天河全部冻住，然后……"小妖在金鱼精耳边低声说了一阵，说得那金鱼精心花怒放。

于是他施展妖法，一夜间，把河面冻上了厚厚的一层冰。

唐僧听说后，就和徒弟们来到河边，看见不少人踩着冰到远方做买卖。八戒举起钉耙朝河面使劲打去，只打出了九个白色的痕迹，他转身对师父说：

"看来连河底都冻住了。"

第二天，师徒四人告别了陈家庄的人们，踏着坚冰向河对岸走去。他们刚到河中央，只听"哗啦啦"一声巨响，冰面崩塌，除悟空外，其余的连人带马都落入水中。唐僧被金鱼精抓走了。幸好八戒、沙僧和白龙马没事。兄弟三人凑在一起，商量着赶快救师父。

悟空说："我不擅长水战，救师父还要劳驾两位师弟。"

沙僧挠挠头说："大师兄，你不去，我们的胆子就不壮，不如我背你一起去吧！"

八戒想捉弄一下悟空，就抢着说："我背大师兄。"悟空猜到了八戒的用意，变了一个假悟空让他背着，真身变成一只猪虱子，贴在他的耳朵里。

三人在水中走着，八戒故意摔了一跤，想把悟空重重摔一下，却把假悟空摔得无影无踪。沙僧抱怨说："我要背大师兄，你偏抢着背。这回可好，把大师兄给摔丢了！"悟空大声叫道："沙师弟，我没丢，还在八戒的身上。"吓得八戒连连求饶。

到了妖精住的地方，悟空变成一个长脚虾婆混进府内，不一会儿，就打听到了师父的下落。他找到八戒、沙僧，说："师父被妖怪扣在一个石匣子里。你们上门挑战，如果打赢，就救出师父；打不赢，就把妖精引到岸上，我来打他。"说完，念着避水咒，回到岸上。

八戒、沙僧在妖精门前大喊大叫："臭妖怪，快还我师父！"金鱼精率领一群小妖出门应战。没说几句话，双方就打了起来。可是，八戒、沙僧拼尽全力，只能同妖精打成平手。八戒朝沙僧一使眼色，二人假装战败，向岸上逃去。金鱼精在后面紧紧追赶。

八戒、沙僧先后跳出水面，叫道："师兄，妖怪来了！"

金鱼精一露头，孙悟空抡起金箍棒就打，金鱼精连忙用两柄铜锤架住。没有三个回合，金鱼精就抵挡不住，"嗖"地一下钻入水中逃走了。

八戒、沙僧再去叫战，金鱼精就是不肯出来。悟空怕耽搁久了师父受害，就驾起筋斗云到南海去请观音菩萨帮忙。善财龙女告诉悟空，观音一个人进紫竹林了，知道他要来，让他在这里等着。悟空正等得不耐烦时，观音手里提着一个紫竹篮走出竹林。

观音让悟空在前面带路，不一会儿他们就来到了通天河。观音把一个竹篮放在水面上，像背诵课文一样念道："死的离开，活的进来！死的离开，活的进来！"一连念了七遍。提起篮子一看，啊，里面多了一条金光闪闪的金鱼！

原来，这妖怪是观音莲花池里养的金鱼，它偷偷溜到通天河，兴风作浪，危害百姓。

guān yīn tí zhe zhú lán huí dào nán hǎi hòu　bā jiè　shā sēng zài cì rù
观音提着竹篮回到南海后，八戒、沙僧再次入

shuǐ　zhǐ jiàn shuǐ zhōng de yú jīng shuǐ guài dōu sǐ le　tā men zhǎo dào hòu gōng
水，只见水中的鱼精水怪都死了，他们找到后宫，

dǎ kāi shí xiá　bēi zhe táng sēng zuān chū shuǐ miàn
打开石匣，背着唐僧钻出水面。

chén jiā zhuāng de rén tīng shuō táng sēng shī tú bǎ yāo guài gǎn zǒu le　dōu hěn
陈家庄的人听说唐僧师徒把妖怪赶走了，都很

gǎn xiè tā men　wù kōng zhèng zhǔn bèi zhǎo chuán guò hé　zhǐ jiàn hé zhōng zuān chū yì
感谢他们。悟空正准备找船过河，只见河中钻出一

zhǐ lǎo yuán　shuō　wèi le gǎn xiè dà shèng gǎn zǒu yāo guài　wǒ sòng nǐ men shī
只老鼋，说："为了感谢大圣赶走妖怪，我送你们师

tú guò hé　yuán lái　nà ge shuǐ fǔ shì lǎo yuán guò qù de zhù chù　jiǔ nián
徒过河。"原来，那个水府是老鼋过去的住处，九年

qián bèi yāo jīng bà zhàn　wù kōng zì rán shí fēn gāo xìng　lián máng qǐng shī fu děng
前被妖精霸占。悟空自然十分高兴，连忙请师父等

rén tà shàng yuán bèi　dù guò tōng tiān hé　jì xù xī xíng
人踏上鼋背，渡过通天河，继续西行。

阅读心·得

三个徒弟为救师父，合力与金鱼精作战，在班级活动中，我们也要团结协作，才能取得胜利。

好词积累卡

成语

垂头丧气　　呼风唤雨　　心花怒放　　无影无踪

二十五、招亲女儿国

唐僧师徒走着走着，来到了女儿国。

他们经过一条河，过了河后，唐僧口渴，要八戒到河中舀了碗水喝。八戒也渴了，就一头扎进河里，喝了个痛快。谁知不久以后，唐僧和八戒的肚子疼了起来。

他们来到了一个村庄，村里的老婆婆听说唐僧的肚子疼，竟然笑了起来，跑着喊道："看哪！有两个男的喝了子母河的水了！"不一会儿就来了一大群女人。

悟空到处打听，才知道这里是女儿国，没有男人。女人长到二十岁，就去喝子母河的水，三天后就去照胎泉边，如果照时是双影，可以生下一个女孩。唐僧、八戒听了连声叫命苦，老婆婆笑着说：

"别急，解阳山聚仙庵有一眼落胎泉，喝了那泉水

就没事了。"

悟空问清了那泉水的位置，驾云来到解阳山，

向庵主如意真仙讨取泉水。不料如意真仙一听"孙

悟空"三个字就火冒三丈。原来他是火云洞红

孩儿的叔叔，悟空请观音收服了他的

侄子，他一直怀恨在心，现在悟空

来要泉水，他坚决不给。

悟空一气之下就和他打

了起来，没几个回合如意真

仙就败下阵来。悟空并

不追赶，到庵里找到

泉眼，拿着桶就要

打水。没提

防如意真仙从背

后溜过来，拿如意钩把悟空的腿勾住，用力一拉，悟空摔了一个狗吃屎。

悟空爬起来，见那家伙已经溜走，也不去追，左手拿着金箍棒，右手拿吊桶去打水。不料如意真仙又跑来，把井绳勾断后又逃走了。悟空没时间和他捉迷藏，决定去把沙僧找来帮助取水，主意打定后，翻上筋斗云便离开了聚仙庵。

悟空叫来沙僧，自己缠着如意真仙打，让沙僧到井里取水。沙僧打了满满一桶水，驾着云，对悟空喊："师兄，水已经拿到了，饶他一条狗命吧！"可是如意真仙不肯停手，悟空不得已，只好一棒把他打倒，将如意钩折断。如意真仙这才肯认输。

悟空饶了如意真仙，和沙僧驾云赶回村子。唐僧和八戒喝下泉水，肚子响了一阵就好了。

接着，他们来到女儿国的都城，只见街上全是女子，一见他们都纷纷围上来看，原来女儿国里面全是女人，很少能看到男人。大家被看得实在不自在，八戒一不小心露出原来的面孔，吓得女人们惊叫着跑开。

好不容易他们才走进驿馆。一位女官问明他们的来历后，就安排他们住下。自己立即进宫向女王报告。女王听说唐僧长得相貌堂堂，决定让唐僧做国王，自己当王后，再打发三个丑徒弟去取经。

女王让太师做媒人，到驿馆向唐僧求亲。唐僧一口拒绝，悟空却说："师父，女王既然有诚意，您就留下来吧！"一边说一边向师父使眼色。太师见唐僧低着头不说话，以为他已经答应了，就告辞回宫报告女王去了。

唐僧埋怨悟空不该胡说八道，悟空说："嘿嘿！如果咱们不答应这门亲事，女王一定不肯换关文，所以我只好用这个计策。"接着又细细解释了一番。唐僧听了恍然大悟，八戒、沙僧也不住地称赞：

"好计策！好计策！"

不一会儿，女王坐着龙车，亲自前来迎亲。唐僧连忙带着徒弟们出门迎接，女王扶着唐僧，拉他一起坐上龙车，要回宫举行成亲仪式。唐僧拉住悟空不放，悟空使个眼色说："请师父、师娘赶快回宫，给我和师弟倒换关文吧！"

龙车驶进了皇宫，女王满脸笑容，扶着唐僧前去赴宴。机会难得，八戒放开肚皮吃了个痛快，吃饱喝足后，他又按悟空教他的大叫："如今娶的娶了，嫁的嫁了，取经的还得赶路，请女王快给我们换关文吧！"

女王立刻上殿，看过关文，盖了大印，递给悟空。悟空接过后，起身告别。唐僧对女王说："陛下，我想请您陪我送他们出城，再嘱咐他们几句，以表我这做师父的一点情意。"女王立刻传令准备龙车，前去送行。龙车出了西城门，唐僧走下龙车，回头拱手说："陛下请回去吧，贫僧取经去了！"女王大惊，拉住唐僧的衣袖叫道："御弟哥哥，喜酒都吃过了，怎么又变卦了！"八戒拉开女王，沙僧连忙扶师父上马。

文武百官见状一拥而上，要来阻拦，悟空正要念咒语用定身法定住他们，忽然一阵狂风，空中落下来一个女子，拦腰抱起唐僧，冲上云霄，转眼不见了。悟空知道是个妖怪，急忙跳上云头，紧紧追赶那团烟尘。

阅读心得

悟空使用计策，让唐僧假装答应女王，这样才能换好了关文，我们要学会用巧妙的办法解决眼前的困难。

日积月累

近义词：拒绝——回绝　　　　反义词：拒绝——接受

二十六、苦斗蝎子精

在女儿国城外，唐僧忽然被一阵旋风卷走。孙悟空、猪八戒、沙僧和白龙马大呼小叫地追赶到一座山前。旋风消失了，也失去了师父的踪影。

他们寻到大山深处，看见一个石屏风上写着几个大字：毒敌山琵琶洞。八戒要举耙打门，悟空拉住说："别打！我先去侦察侦察再说。"说着，悟空把身子一晃，变成一只蜜蜂，飞进洞中。见当中的亭子里坐着个女妖，拿着一个包子在劝师父吃。师父脸色发黄，像是中了毒，闭着嘴不肯吃那包子。女妖说："你和我在这里做夫妻，比在女儿国里更自由自在。"

那女妖又做出很多不庄重的样子想挑逗唐

僧，悟空实在看不下去，露出了原形，举起金箍棒就打。女妖从口中喷出一团烟火，罩住亭子，唐僧立刻就不见了。接着她才举叉朝悟空打来。悟空边打边退，把女妖引向洞外。

出了琵琶洞，八戒、沙僧各自举着兵器来打女妖，女妖一见不是对手，口中喷出一股浓烟，把身体一侧，从屁股上伸出一条像九节钢鞭的东西，朝悟空头上砸去。悟空疼得大叫一声，转身就跑。

八戒、沙僧见情况不妙，也跟着悟空败下阵来。

女妖得胜回洞去了。悟空蹲在一块石头上，双手抱着头喊疼。沙僧轻轻拿开悟空的手，见他不红也不肿，更没有伤口，不知道是什么原因。

到了晚上，悟空又喊头疼，兄弟三人决定先在野地上休息一晚，明天再前去捉拿妖怪。

这时，女妖把琵琶洞布置得灯火辉煌，就像新房一样。她一手搭在唐僧的肩上，一手拿着酒杯，做出各种妩媚的姿态，想逼唐僧成亲。但唐僧两眼紧闭，双手合掌，并不理睬。女妖生气了，下令道："嘿，来人哪！把这个不识抬举的和尚绑到柱子上！"

第二天，悟空的头不疼了，又变成蜜蜂飞到洞里，女妖正在熟睡。

唐僧听到悟空的声音，不由掉下泪来，要悟空赶快救他出去。谁知他们说话的声音惊醒了女妖，她走过来破口大骂唐僧。

悟空连忙飞出洞，现了原形，

把师父昨晚的遭遇告诉师弟。八戒听到女妖这样凶狠，一气之下，一耙把石门打了九个窟窿。女妖知道后，提着双叉跳到洞外，只打了几个回合，女妖又使出昨天的本领，在八戒的嘴上扎了一下。

八戒大叫一声，捂着嘴就跑。悟空尝过被扎的滋味，收起棒子就走。女妖笑着说："孙悟空，不要说你，就是如来佛也怕我几分哩！"说完便回洞去了。悟空兄弟三人正不知道该怎么办时，路上走来了一个老婆婆，悟空一看，原来是观音菩萨。

悟空连忙和两位师弟拜见观音菩萨。观音告诉他们，女妖是个蝎子精，有一次，如来佛讲经时见她不合掌，就推了她一把，反被她扎了中指，佛祖的中指当时也疼痛难忍。她让悟空去东天门光明宫请昴日星官来降妖，说完转身回南海了。

悟空立刻上天，不一会儿请来了昴日星官。昴日星官见八戒嘴痛得说不出话，就用手一摸，吹了口仙

气，八戒的嘴就不痛了。提到降妖，星官说："你

们去把女妖引出来，看我用法术

抓她。"

八戒和悟空打进妖洞，把女妖引了出

来。昂日星官站在高坡之上，把身子一摇，

现出他那双冠大公鸡的原形，"咕——"

高叫一声，那女妖听了身子一抖，现

出了蝎子的原形。公鸡又叫了一声，那

蝎子立刻死在坡前。

悟空师兄弟送走昂日星官，杀到

洞中，大小丫鬟女童都跪在地

上求饶。悟空用火眼金睛

一看，见她们身上

没有妖气，一

问才知道她

们都是女

ér guó de píng cháng bǎi xìng　　 shì bèi nǚ yāo zhuā lái zuò nú lì de　　 wù kōng lì
儿国的平常百姓，是被女妖抓来做奴隶的。悟空立

kè fàng le　tā men
刻放了她们。

bā jiè bǎ shī fu cóng zhù zi shang jiě xià lái　　 wù kōng àn zhào shī fu de
八戒把师父从柱子上解下来。悟空按照师父的

fēn fù　bǎ dòng zhōng de liáng shi fēn gěi nà qún nǚ tóng zuò wéi huí jiā lù shang de
吩咐，把洞中的粮食分给那群女童作为回家路上的

gān liang　nǚ tóng men yī yī bù shě　 hán zhe lèi hé tā men gào bié　 děng dà
干粮。女童们依依不舍，含着泪和他们告别。等大

jiā chū le shān dòng　táng sēng shī tú biàn yì bǎ huǒ shao le pí pa dòng　 jì xù
家出了山洞，唐僧师徒便一把火烧了琵琶洞，继续

xiàng xī tiān zǒu qù
向西天走去。

阅读心得

　　悟空杀死蝎子精，又放了洞中女童，真是行侠仗义，我们也要多做好事。

好词积累卡

形容词
庄重　妩媚

142

二十七、三借芭蕉扇

唐僧师徒向西赶路，越走越热。大家很奇怪：现在是晚秋季节，怎么会越来越热呢？

他们在一个村庄停下来。当地的人们听说唐僧师徒要去西天取经，都摇着头说："去不得，去不得！西面是八百里火焰山，烈火熊熊，就是神仙也过不去！"

唐僧一听着了急："难道没有其他办法吗？"

一位老人回答说："要熄灭火焰山的火，除非借来翠云山铁扇公主的芭蕉扇！可是，铁扇公主的芭蕉扇是不借给人的！"

悟空说："没关系，老孙去试试看！"说着一个筋斗上了天，消失在天际。

悟空到了翠云山，找到了铁扇公主。原来，铁扇公主就是红孩儿的母亲，牛魔王的妻子。铁扇公主恨孙悟空请菩萨收服了她的儿子，就说："你要是能挨我几剑，我就借给你。"

孙悟空笑嘻嘻地伸过头去，说："只要肯借扇，砍多少下都行！"

铁扇公主二话不说，照着悟空的头"乒乒乓乓"一口气砍了十几剑，直砍得手酸腕麻，悟空一点事也没有。可是，铁扇公主说话不算话，还是不同意借扇子，悟空很生气，拿出金箍棒同她打了起来。

铁扇公主拿出芭蕉扇，对着悟空一扇，一

芭蕉洞
翠云山

下把悟空扇出五万多里，落在灵吉菩萨的小须弥山上。灵吉菩萨送给悟空一粒定风丹。悟空带着定风丹一个筋斗又回到翠云山。这回，铁扇公主再也扇不动孙悟空了。

铁扇公主打不过孙悟空，就跑回洞中，紧闭洞门，再也不肯出来。悟空变成小虫子，钻进洞里，趁铁扇公主不注意，飞到她的杯里，被铁扇公主一口喝进肚中。

悟空在铁扇公主的肚子里拳打脚踢，铁扇公主痛得满地乱滚，一个劲儿地求饶，最后把芭蕉扇给了孙悟空。悟空拿着芭蕉扇来到火焰山，对着烈火猛扇三下。可不得了！火势反而更大，把悟空两条腿上的毫毛都烧光了！大家吓得纷纷向后逃去。原来，悟空借来的是个假芭蕉扇。这时，火焰山的土地神建议悟空去找牛魔王。

牛魔王过去是孙悟空的好朋友，悟空满以为他

会帮忙的。没料到牛魔王翻脸不认人，同悟空打了

起来。他们打到中途，有人来请客，牛魔王就跑到老

龙精家做客去了。孙悟空化成一阵清风，跟着牛魔王

到了碧波潭，趁他们喝酒的时候，盗走了牛魔王的坐

骑避水金睛兽，变成牛魔王的模样，回到翠云山。

悟空假冒牛魔王，从铁扇公主手中

骗到了芭蕉扇。牛魔王丢了避水金睛兽，

猜到是孙悟空搞的鬼，急忙向翠

云山方向追赶。走到半路，果

然看见孙悟空正喜滋滋

地扛着一丈二尺长

的芭蕉扇一边走一边

玩呢！他心

想：你变老

牛的样子去

骗我妻

子，我也骗骗你！想到这里，摇身一变，变成猪八戒的样子，迎着悟空说："猴哥，你借扇子很辛苦，我来扛吧！"孙悟空正在得意，没用火眼金睛细看，就把扇子交给假八戒。牛魔王把芭蕉扇捻了捻，缩成树叶那么大，放在嘴里，现出本相，骂道："该死的猴头！你看我是谁？"

孙悟空气得暴跳如雷，跳起身来就打。

双方正打得起劲，真的八戒赶来了。八戒一听牛魔王变成自己的样子骗回芭蕉扇，气得不得了！他举起钉耙没头没脑地一阵乱打，牛魔王抵挡不住，败下阵去。

第二天再战，牛魔王打不过悟空和八戒，就变成一只天鹅想逃走，悟空立刻变成一只猎隼去追击；他变黄鹰，悟空变乌凤；他变白鹤，悟空变丹凤；他变香獐，悟空变猛虎；他变金钱豹，悟空变金眼狻猊；他变黑熊，悟空变大象，反正是专门降着他！

牛魔王没办法，现出本相，原来是一头大白
牛：长一千多丈，高八百多丈，头就像峻岭，角
像两座插天的铁塔，双眼冒着火光。

他摇头摆尾地高声叫道："孙悟空，看你还有
什么办法对付我！"

孙悟空冷冷一笑，抽出金箍棒，把腰一弓，大叫
一声"长"，他就长得身高万丈，头像泰山，眼像
太阳和月亮，两条腿呀，就像两根擎天柱！他手执
巨大无比的金箍棒，向牛魔王当头打去。牛魔王只
好硬着头皮用两只铁角抵挡。就在这时，许多天兵佛
将赶来帮助孙悟空。牛魔王想逃跑，四面有四大金
刚率领佛兵挡住；向天上逃跑，有托塔天王、哪吒
三太子带着天兵镇守。

哪吒三太子跳在牛魔王的背上，挥起斩妖剑，
一剑砍下牛魔王的头，可是，牛魔王马上又长出一

gè tóu lái　　　　né zhā lián kǎn shí jǐ jiàn　　niú mó wáng lián zhǎng shí jǐ kē tóu

个头来。哪吒连砍十几剑，牛魔王连长十几颗头。

né zhā jiù huàn ge bàn fǎ　　　bǎ fēng huǒ lún guà zài niú jiǎo shang shāo tā　　niú mó

哪吒就换个办法，把风火轮挂在牛角上烧他！牛魔

wáng zhōng yú rěn shòu bú zhù　　qǐng qiú ráo mìng　　bèi yā wǎng xī tiān jiàn fó zǔ

王终于忍受不住，请求饶命，被押往西天见佛祖。

tiě shàn gōng zhǔ méi bàn fǎ　　　zhǐ hǎo bǎ bā jiāo shàn jiāo gěi sūn wù kōng

铁扇公主没办法，只好把芭蕉扇交给孙悟空。

wù kōng yì lián shān le sì shí jiǔ xià　　chè dǐ xī miè le huǒ yàn shān de dà

悟空一连扇了四十九下，彻底熄灭了火焰山的大

huǒ　cóng cǐ　　huǒ yàn shān yí dài chéng le fēng tiáo yǔ shùn de hǎo dì fang

火。从此，火焰山一带成了风调雨顺的好地方。

阅读心·得

悟空为借到铁扇公主的芭蕉扇，吃尽苦头仍然很顽强，我们在学习中也要有坚定的信念。

好句积累卡

比喻句

牛魔王没办法，现出本相，原来是一头大白牛：长一千多丈，高八百多丈，头就像峻岭，角像两座插天的铁塔，双眼冒着火光。

二十八、误入盘丝洞

唐僧师徒走过**万水千山**，不知不觉，又到了春光明媚的时节，到处桃红柳绿，芳草如茵。唐僧在马上看见桃林后边露出一所宅院，就想自己去化斋。他拿着钵盂，走到门口，发现院子里只有几个女孩子：三个在踢球，四个在做针线，院子里静悄悄的，没一点声响。

唐僧高声说："有人吗？"几个女子看见，忙**笑嘻嘻**地迎出来说："长老，请里面坐。姐妹们，快做斋饭来。"

唐僧走进房子，发现里面摆的全是石桌石凳，冷气森森，有些害怕。女子摆上的"素斋饭"，竟然是人肉做的！唐僧哪敢吃人肉，连忙要走。那些女子

说："你送上
门来，还想走
吗？"说完一
起抓住唐
僧。原
来，她们全
是妖精！

妖精脱去上衣，
从肚脐里冒出雪白的丝绳，把整个庄园罩了起来。

悟空等了很久不见师父回来，就跳上大树观
看，只见庄园放出异样的白光，知道师父遇到了
妖怪，就让师弟们看好行李马匹，自己来到庄园门
前，却发现庄园门被丝
线缠得密密实实，也不
知道有几百几千层，
用手一摸，黏糊糊

的，不知道是什么东西。

悟空念动咒语，叫来本地的土地神，这才知道这里叫盘丝洞，洞里住着七个女妖，都是蜘蛛精。

悟空心想：不能硬打。于是，他变成一只苍蝇，叮在路边的草叶上。

一会儿，丝绳被收了回去，从妖洞里走出七个女妖，嘻嘻哈哈地跑到温泉里洗澡。

悟空心想：现在一棍子打死她们，坏了老孙的名声，干脆想个办法，让她们出不来！于是，悟空摇身变成一只老鹰，把女妖的衣服全抓走了。

八戒问："哥呀，哪来的衣服？"悟空说："妖精的。趁她们害羞不敢出来，我们救师父去。"八戒说："猴哥，你不把妖精打死，她们还会找麻烦的。等我去打她们！"

八戒提着钉耙，迈开大步就往盘丝洞方向跑去。

八戒闯到洞中，不见一个妖怪，就继续向里面走。突然他听到一阵女子的嬉笑声，就顺着声音找去，只见七个女妖正在洞里的水潭中洗澡，说要洗得干干净净地去吃唐僧肉。

八戒走过去笑着说："让我也来和你们一起洗个澡吧！"说着放下钉耙，"扑通"一声跳进水里，变成一条鲇鱼，妖精怎么抓也抓不住，累得气喘吁吁。

八戒跳上岸，举耙就打。妖精慌了，光着身子跳出来，放出丝绳，捆住八戒，然后跑回妖洞，收回丝绳，换好衣服，命令小妖把住洞门，从后门跑掉了。

八戒被丝绳捆住，摔得鼻青脸肿，等丝绳不见了，才爬起来去找悟空。沙僧说："糟了，她们一定去害师父了！"

三个人赶到洞口，看见七个小妖，八戒正没好气，举耙就打。小妖飞起来，变成千千万万个黄蜂、蚊子等，把八戒、沙僧叮得满头大包。

wù kōng lián máng bá xià yì bǎ háo máo shuō shēng biàn biàn chéng wú
悟空连忙拔下一把毫毛，说声"变"，变成无

shù xiǎo niǎo chì dǎ zuǐ zhuó hěn kuài xiāo miè le xiǎo yāo
数小鸟，翅打嘴啄，很快消灭了小妖。

wù kōngshōu huí háo máo hé bā jiè shā sēng shā jìn dòng li zhǎo dào táng
悟空收回毫毛，和八戒、沙僧杀进洞里，找到唐

sēng bǎ tā cóng liáng shang jiù xià lái rán hòu yòu zài dòng li xún zhǎo nǚ yāo
僧，把他从梁上救下来，然后又在洞里寻找女妖，

bú liào tā men yǐ jīng wú yǐng wú zōng yú shì tā men yì bǎ huǒ shāo le pán sī
不料她们已经无影无踪。于是他们一把火烧了盘丝

dòng shī tú jì xù xiàng xī tiān zǒu qù
洞，师徒继续向西天走去。

阅读心·得

当得知洞里住的是七个蜘蛛精时，悟空心想不能硬打。我们遇到问题时也要具体问题具体分析，不能盲目采取行动。

好词积累卡

成语

万水千山　　芳草如茵

二十九、历险黄花观

唐僧师徒离开盘丝洞，走了两天，看见一所道观，门上写着"黄花观"三个字。

他们走进大门，见一个道士在炼丹。道士放下药丸，请他们坐下，并吩咐小童去泡茶。

没想到，盘丝洞的七个女妖正躲在这里，那个道士是她们的大师兄。听说唐僧到了，女妖们连忙叫小童把道士请进去，一齐跪下，求大师兄为她们出气。

老道听了女妖的话，就说："你们放心，等我收拾他们！"

他打开箱子，拿出一包毒药，取出一部分，分别塞入十二个红枣中，放到四个茶杯里，另外找出两个黑枣，说："上茶时，给我用黑枣泡茶。"

^{xiǎo tóng duān shàng chá lái} ^{wù kōng kàn jiàn dào shi bēi li shì liǎng ge hēi}
小童端上茶来，悟空看见道士杯里是两个黑

^{zǎo} ^{jiù shuō} ^{xiān sheng} ^{wǒ hé nǐ huàn yì bēi} ^{táng sēng shuō} ^{wù}
枣，就说："先生，我和你换一杯。"唐僧说："悟

^{kōng} ^{zhè shì xiān sheng de hǎo yì} ^{nǐ chī le ba} ^{huàn shén me} ^{wù kōng}
空，这是先生的好意，你吃了吧，换什么？"悟空

^{zhǐ hǎo gài zhù chá bēi} ^{kàn zhe tā men chī}
只好盖住茶杯，看着他们吃。

^{bā jiè wèi kǒu hǎo} ^{kàn jiàn hóng zǎo} ^{ná qǐ lái yì kǒu tūn jìn dù li}
八戒胃口好，看见红枣，拿起来一口吞进肚里。

^{táng sēng} ^{shā sēng yě chī le} ^{bú yí huìr} ^{sān ge rén kǒu tǔ bái mò}
唐僧、沙僧也吃了。不一会儿，三个人口吐白沫，

^{dǎo zài dì shang}
倒在地上。

^{wù kōng jiāng chá bēi cháo zhe dào shi}
悟空将茶杯朝着道士

^{dǎ guò qù} ^{wèn} ^{nǐ wèi shén me xià}
打过去，问："你为什么下

^{dú} ^{dào shi shuō} ^{yīn wèi nǐ zài pán}
毒？"道士说："因为你在盘

^{sī dòng qī fu le wǒ shī mèi} ^{wù}
丝洞欺负了我师妹！"悟

^{kōng shuō} ^ō ^{yuán lái nǐ shì yāo}
空说："噢，原来你是妖

^{jing de shī xiōng} ^{kàn gùn}
精的师兄！看棍！"

^{dào shi jǔ jiàn lái yíng} ^{qī}
道士举剑来迎。七

^{ge nǚ yāo pǎo chū lái} ^{jiě kāi shàng}
个女妖跑出来，解开上

^{yī} ^{mào chū sī shéng} ^{bǎ wù kōng}
衣，冒出丝绳，把悟空

罩住。悟空急忙撞破丝网，跳上天空。

那妖怪转眼把道观遮了起来。

悟空念了个咒语，拔下七十根毫毛，变成七十个小悟空，金箍棒变成七十个叉棒，每人一把，喊着号子，一齐用力，把丝绳搅断，拖出七个女妖，原来是他们七个大蜘蛛，都团着身子，叫："师兄救命！"

悟空命令老道交出解药，救醒师父和师弟，不然就打死这些蜘蛛精。女妖也连忙求老道快拿出解药，可老道却说要吃唐僧肉。悟空听了以后大怒，骂道："既然你不肯拿出解药，那就看看你师妹们的下场！"说着挥动铁棒，把蜘蛛精全部打死。悟空接着去打道士。道士打不过悟空，忽然脱下衣服，举起双手，身上长着的一千只眼睛放出金光，把悟空封在里面。

悟空被照得头昏眼花，左逃右窜都躲不开，心中一急，钻到地下，在土中走了二十多里，才保住了性命。

悟空钻出地面，只觉得浑身疼痛，身上一点劲也没有，想起无法营救师父、师弟，不由地哭了起来。这时来了一位老婆婆，问他为什么哭，悟空把经过说了一遍。老婆婆告诉悟空，只有千花洞的毗蓝婆菩萨才能降伏这个千眼魔君。

老婆婆给悟空指明千花洞的方向后，一晃就不见了。悟空知道这是神仙暗中帮助，连忙驾筋斗云来到紫云山千花洞。他高高兴兴地走进洞里，见一位女道姑坐在当中，想她就是毗蓝婆菩萨，就上前施礼，说明了来意。

毗蓝婆菩萨答应帮悟空降伏妖怪，两人一起驾云来到黄花观。毗蓝婆菩萨藏在云里，让悟空把妖怪引出来。老道见悟空又来了，就又念起咒语，眼里放出金光。毗蓝婆菩萨取出一根绣花针扔到空中，只听一声巨响，破了金光。

毗蓝婆按下云头，和悟空走进黄花观，见那老道已经现了原形，原来是只蜈蚣精。悟空想一棒打死他，毗蓝婆让他住手，先去救师父。唐僧师徒三人正口吐白沫，昏迷不醒。毗蓝婆拿出三粒解毒丸，让悟空帮他们服下。

一会儿，三个人苏醒过来。唐僧他们连忙行礼致谢。毗蓝婆收了蜈蚣精，驾云回山去了。悟空告诉八戒："老婆婆本是一只老母鸡，所以能降伏蜈蚣精。"

悟空一把火烧了黄花观。师徒四人收拾好行李、马匹，又踏上了西行的道路。

阅读心·得

悟空被千眼魔君折磨得浑身疼痛，想起不能救师父、师弟竟然哭起来，我们也要像悟空一样做个有责任心的好孩子，但要记住：哭不能解决问题，遇到困难仍要勇敢面对。

日积月累

近义词：急忙——仓促　　反义词：急忙——悠闲

三十、比丘国降妖

这一天，唐僧师徒来到了比丘国。他们进了城，只见家家门前放着个鹅笼，上面用锦缎盖着，不知里面藏了什么。悟空觉得奇怪，就变成个小蜜蜂，飞到鹅笼里一看，里边竟然是些五六岁的小男孩！

唐僧感到很奇怪，就问人这是为什么。

那人告诉他："三年前，有一个老道做了国丈，他送给国王一个十六岁的美女。国王整天和美女在一起，身体越来越弱。太医用尽了良方，都不能治好国王。这老道给国王一个秘方，用一千一百一十一个小男孩的心肝做药引，吃后不仅可以治病，还可以千年不老。鹅笼里的孩子都是选出来的，明早就要被杀掉。"

唐僧师徒听了，都很气愤。于是，悟空念了个咒语，让土地神刮起一阵风，把孩子们都带到山上藏好。

第二天，唐僧去找国王倒换公文，悟空变成小虫跟着，暗中保护师父。悟空用火眼金睛看那国丈，果然是个妖精！国丈听说小孩被风刮走了，就给国王出主意：用唐僧的心肝做药引，可以长生不老！国王听信了国丈的话，派卫兵去抓唐僧。

悟空偷听了他们的谈话，赶忙回来报信。他让八戒和了一团泥，用自己的猴脸印出一个模子，贴在唐僧脸上，把唐僧变成猴子模样，自己却变成唐僧，让

wèi bīng zhuā le qù
卫兵抓了去。

jiǎ táng sēng jiàn dào guó wáng gāo shēng wèn bì xià zhǎo wǒ yǒu shén
假唐僧见到国王，高声问："陛下，找我有什

me shì
么事？"

guó zhàng qiǎng zhe shuō hé shang wǒ yào yòng nǐ de hēi xīn zuò yào yǐn
国丈抢着说："和尚，我要用你的黑心做药引！"

jiǎ táng sēng yì diǎn bú hài pà ná guò dāo lái gē kāi dù pí lǐ
假唐僧一点不害怕，拿过刀来，割开肚皮，里

bian gǔn chū yì duī xīn yǒu hóng de bái de huáng de jiù shì méi yǒu hēi
边滚出一堆心，有红的、白的、黄的，就是没有黑

de xià de guó wáng lián máng shuō shōu huí qù ba wǒ bú yào le
的。吓得国王连忙说："收回去吧，我不要了。"

wù kōng bǎ liǎn yì mǒ xiàn chū běn xiàng shuō wǒ de xīn quán shì hǎo
悟空把脸一抹，现出本相，说："我的心全是好

xīn dào shì guó zhàng yǒu kē hēi xīn zhèng hǎo zuò yào yǐn bú xìn wā chū
心，倒是国丈有颗黑心，正好做药引。不信，挖出

lái gěi nǐ men kàn kan
来给你们看看！"

nà lǎo dào jiàn shì dà nào tiān gōng de sūn dà shèng jí máng zhàn qǐ lái
那老道见是大闹天宫的孙大圣，急忙站起来，

jià zhe yún jiù zǒu
驾着云就走。

wù kōng yí ge jīn dǒu zhuī shàng qù hé lǎo dào zài bàn kōng zhōng dǎ qǐ
悟空一个筋斗追上去，和老道在半空中打起

lái lǎo dào jiàn dǎng bu zhù jīn gū bàng jiù huà zuò yí dào hán guāng luò jìn
来，老道见挡不住金箍棒，就化作一道寒光，落进

huáng gōng bǎ sòng gěi guó wáng de yāo hòu jiā zài yè xia dài chū gōng mén xiāo
皇宫，把送给国王的妖后夹在腋下，带出宫门，消

shī de wú yǐng wú zōng
失得无影无踪。

悟空落下去，回到殿上。这时，君臣们才知道受了蒙骗。悟空让国王派人把师父、师弟接来，悟空在唐僧脸上吹了口仙气，唐僧马上就恢复了原身，悟空问妖道住在什么地方，国王告诉悟空说住在城南的清华庄。

悟空和八戒驾云来到城南，却找不到清华庄。悟空念咒招来土地神。土地神说："去南岸一棵杨树根下，左转三圈，右转三圈，双手扑到树上，连叫三声"开门"，妖洞就找到了。"

悟空按照土地神的话打开洞门，杀进妖洞，见老妖正告诉王后要吃唐僧的事。看见悟空，老妖拿出一把拐杖抵挡。见抵挡不过，老妖慌了，化成一道寒光往外跑，迎面遇见老寿星，寿星用帽子一盖，罩住了寒光。他对悟空说："大圣，饶他一命吧！"原来，老妖是寿星的白鹿，趁主人不注意，偷了寿星的蟠龙拐杖跑了出来，在人间为非作歹，还

<ruby>想 吃 唐 僧 肉<rt>xiǎng chī táng sēng ròu</rt></ruby>。<ruby>寿 星 发 现 后<rt>shòu xing fā xiàn hòu</rt></ruby>，<ruby>就 赶 忙 追 来 了<rt>jiù gǎn máng zhuī lái le</rt></ruby>。<ruby>王 后 被<rt>wáng hòu bèi</rt></ruby>

<ruby>八 戒 一 耙 打 出 原 形<rt>bā jiè yì pá dǎ chū yuán xíng</rt></ruby>，<ruby>原 来 是 个 狐 狸 精<rt>yuán lái shì ge hú li jīng</rt></ruby>。

<ruby>悟 空 领 着 寿 星 和 白 鹿 去 见 国 王<rt>wù kōng lǐng zhe shòu xing hé bái lù qù jiàn guó wáng</rt></ruby>，<ruby>对 国 王 说 明 经<rt>duì guó wáng shuō míng jīng</rt></ruby>

<ruby>过<rt>guò</rt></ruby>。<ruby>国 王 十 分 羞 愧<rt>guó wáng shí fēn xiū kuì</rt></ruby>，<ruby>再 也 不 敢 胡 作 非 为<rt>zài yě bù gǎn hú zuò fēi wéi</rt></ruby>。<ruby>土 地 神<rt>tǔ dì shén</rt></ruby>

<ruby>也 送 回 了 小 男 孩<rt>yě sòng huí le xiǎo nán hái</rt></ruby>。<ruby>百 姓 们 感 谢 唐 僧 师 徒 除 掉 妖 精<rt>bǎi xìng men gǎn xiè táng sēng shī tú chú diào yāo jing</rt></ruby>，

<ruby>救 了 小 孩<rt>jiù le xiǎo hái</rt></ruby>。<ruby>唐 僧 师 徒 谢 绝 了 大 家 的 好 意<rt>táng sēng shī tú xiè jué le dà jiā de hǎo yì</rt></ruby>，<ruby>悄 悄 地 又<rt>qiāo qiāo de yòu</rt></ruby>

<ruby>动 身 上 路 了<rt>dòng shēn shàng lù le</rt></ruby>。

阅读心·得

　　唐僧师徒听了比丘国人的遭遇，非常气愤，决定营救孩子们，我们也要做有正义感的孩子。

好词积累卡

成语

为非作歹　　胡作非为

三十一、哪吒擒鼠精

唐僧他们离开比丘国，早起晚睡，历经春冬。

这天，他们走上一座高山，进了一片黑松林，唐僧饿了，要悟空去化斋。

悟空扶唐僧下马就地休息，自己驾云化斋去了。唐僧在林中念经，忽然听见有人喊"救命"。他顺着声音找到一棵松树下，见树上绑着一个女子，便问原因。女子说她扫墓遇到强盗，被绑在这里。

唐僧忙叫八戒去解救那女子。八戒刚要动手，悟空从空中跳下来，揪住八戒耳朵说："师弟别动，她是妖怪！"原来悟空在半空中见一团黑气把师父头上的祥光盖住，就知道师父遇上妖怪，便赶回来了。

唐僧不再**争辩**，由悟空扶到马上，撇下那女子走了。那女子见被悟空识破，还不肯罢休，就把几句话吹进唐僧耳朵里："你放着活人不救，还拜什么佛，取什么经！"

唐僧一听，心中怦怦乱跳，也不顾悟空**劝阻**，带着八戒回到松树下，从树上解下那个女子，又扶她上马。于是，唐僧在前，八戒牵马，沙僧挑担在后，悟空走在唐僧和女子的中间，继续西行。

天快黑了，他们来到一座寺院前。唐僧让徒弟们在外边等候，自己上前借宿。寺院里的和尚把唐僧迎进寺院，又请悟空他们进去，安排斋饭，招待他们。吃完，和尚问唐僧，让那女子在什么地方休息。

唐僧见和尚有些怀疑，连忙说明女子的来历。于是，那和尚便把女子送到天王殿去休息了。没想到这天晚上唐僧着了凉，一早起来就喊头痛，没办法，他们只好继续在这休息，一住就是三天。悟空

到厨房取水，见和尚们哭得很伤心，就问出了什么

事。和尚们说，庙里有妖精，已经吃掉了六个撞夜

钟的小和尚。

夜里，悟空变作一个小和尚，在大殿里念经。

果然，飕飕的冷风刮过，一个妖精伸爪来抓悟空。

悟空不慌不忙，拔出金箍棒就打。妖精支撑不

住，眉头一皱，想出个花招。她边打边退，脱下一只

绣花鞋，吹口气，变成个假身与悟空对打，真身化

成一阵清风，闯到后院，抓走了唐僧。

悟空一棒打倒妖精，发现是一只绣花鞋，说声

"不好！"赶回去一看，师父不见了，八戒、沙僧还在

睡觉。悟空气得揪起八戒就打，骂道："你们救的'好

人'！吃了和尚，抓走了师父，你们还在睡大觉！"

悟空带着八戒、沙僧，回到黑松林，他变成三

头六臂的样子，噼里啪啦一阵乱打，把山神、土地

打了出来，才知道妖精住在陷空山无底洞。悟空去了

无底洞，却不见妖精的踪影。

忽然，一阵香味飘来，悟空跑过去一看，在一个黑黑的小洞里，放着一个金字牌位，上面写着：尊父托塔李天王之位，尊兄哪吒三太子之位。下边香烟缭绕，放着许多贡品。悟空拿着牌位，来到天宫，向玉帝告状。玉帝派金星和悟空一起召李天王和哪吒太子对质。托塔天王听说悟空告自己，气得大叫："我有三个儿子、一个女儿，女儿贞英今年才七岁，还不懂事，怎么能去当妖怪！这是诬告，快去拿缚妖索，把这个猴子捆上。"说完，拿过斩妖刀来就砍。

金星埋怨悟空莽撞，得罪了天王。悟空却笑着说："放心！我一定会赢！"

哪吒太子拦住天王说："父亲，以前咱们抓过一个金鼻白毛老鼠精，后来把她放了。她拜你为父，认我为兄，每天烧香上供。你忘了吗？"托塔天王

zhè cái xiǎng qǐ　　máng fàng xià dāo　　qīn zì lái jiě wù kōng shēn shang de shéng
这才想起，忙放下刀，亲自来解悟空身上的绳

suǒ　　wù kōng mǎn dì dǎ gǔn bú ràng jiě　　kǒu kǒu shēng shēng yào qù jiàn yù
索。悟空满地打滚不让解，口口声声要去见玉

dì　　tiān wáng méi bàn fǎ　　jiù qiú jīn xīng shuō qíng　　fǎn fù gěi wù kōng péi
帝。天王没办法，就求金星说情，反复给悟空赔

bú shì　　wù kōng zhè cái ráo le tiān wáng
不是，悟空这才饶了天王。

tuō tǎ tiān wáng hé né zhā tài zǐ dài zhe tiān bīng tiān jiàng　　bǎ sān bǎi
托塔天王和哪吒太子带着天兵天将，把三百

lǐ de wú dǐ dòng sōu le ge biàn　　zuì hòu zhǎo dào le yāo jing　　jiù chū táng sēng
里的无底洞搜了个遍，最后找到了妖精。救出唐僧

hòu　　né zhā tài zǐ bǎ lǎo shǔ jīng yā shàng le tiān gōng
后，哪吒太子把老鼠精押上了天宫。

阅读心得

　　唐僧不顾悟空劝阻，救下女子，结果反被女子所害。我们在生活和学习中要多听从别人有利的建议，不要太过固执。

日积月累

近义词：莽撞——冒失　　　　反义词：莽撞——小心

三十二、灭法国收徒

师徒四人继续西行，此时又是熏风初动的夏季，走不多时，见前方有一座城池。这时，从前面小路上走过来一个老婆婆，挂着拐杖，颤巍巍地说："那些和尚，快回去吧！前边是灭法国，国王发誓要杀一万个和尚，已经杀了九千九百九十六个和尚了！你们是不是凑数去呀？"

唐僧急忙下马，和徒弟们商量对策。悟空说："你们等我去打探一下。"说完，扭腰跳到都城门外，摇身变成一个扑灯蛾，扑棱棱地飞过城墙。他看见前边有个旅店，里边的旅客都睡觉了。悟空心中暗想：对，只要扮成过路的老百姓，就不会有危险了。悟空拔下一把毫毛，变出四套俗人的衣帽，回到路边。说："师父，要想平平安安地过去，只能装扮成普通百姓的样子了。"

八戒说："我们都是光头，人家一看就知道是和尚，怎么办？"

悟空说："先戴上头巾。另外，我们的称呼也要像老百姓一样。师父叫唐大官，我叫孙二官，八戒叫朱三官，沙僧叫沙四官，是贩卖马匹的商贩。你们都别说话，有事让我应付。"

四个人打扮好了，大摇大摆地走进城去，找到一个旅店住下。女店主问道："四位客人做什么生意？"悟空说："我们做贩马生意，马群还在城外。先给我们安排一桌上等酒席！"店主乐坏了，忙叫："杀鸡宰羊，安排酒席！"唐僧一听，对悟空说：

"孙二官，送上鱼肉，我们谁敢吃？"

悟空忙拍拍手，把店主叫来说："我们今天吃

斋，送素酒席来，我们一样付账。不过，唐大官喜

欢在黑处休息，我怕亮，朱三官有寒湿气，沙四官有

漏肩风。找个又黑又安静的地方给我们睡。"女店主

说："正好店里有个大柜，又黑又不透风。"

悟空让店主把白马拴在柜上，四个人进柜睡

下。里边又闷又热，八戒把头巾一把捵下来擦擦汗，

倒头就睡。悟空发现外面有人偷听，就捏了八戒一

把，装神弄鬼地说："我们这次赚了八千两银子，

够本了！"八戒已经睡着了，根本没听见。

这店里有强盗的同伙，听见有银子，急忙去

报信。一伙强盗闯了进来，牵上马，把柜偷出

城去。

巡城总兵和兵马元帅听到报告，就带着人马，

出城捉贼，强盗们见官军来势凶猛，不敢应战，放下柜，丢了白马，各自逃命去了。官军抬着柜，牵着白马，回总兵府，准备天亮以后再报告国王。那柜摇来摇去，把八戒晃醒了。八戒问："猴哥，什么人抬着我们走呢？"悟空说："别出声！让人发现了，不是捆，就是吊着。忍一忍，我来想办法。"深夜，悟空在柜中想："明天打开柜，灭法国国王见我们是和尚，我们还能活吗？"于是把金箍棒变成一个小钻头，在柜上钻出一个小洞，自己变成一只蝼蚁，爬出柜子，现出本相。把左臂的毫毛拔下来，变成瞌睡虫；右臂的毫毛也拔下来，变成小悟空；把金箍棒晃一晃，变成了剃头刀。

悟空念个咒语，召来土地神，让他领着小悟空，把国王、王后、贵妃、宫女，还有所有的王公大臣，元帅大将，个个脸上放个瞌睡虫，然后，把他们的头发剃个精光。一直忙到快天亮，才算

剃完。悟空收回毫毛，放了土地神，又钻进柜里
睡觉了。

早晨，宫女们起床洗脸，个个头上没了头发，
急得**哭天抹泪**。王后醒来，光头蹭在枕头上，只
觉得头皮发凉。王后急忙去看国王，只见国
王的被窝里，睡着个光头和尚。

国王被惊醒，睁眼看见王
后的光头，急忙爬起来问："你
怎么没头发了？"王后说："你
也这个样子。"不一会儿，国王上
朝，大臣们个个都是光头。国王认为

174

zhè shì shàng tiān de zé fá
这是上天的责罚，再也不敢随便杀人，并下令王公
zài yě bù gǎn suí biàn shā rén   bìng xià lìng wáng gōng

guì zú dōu yào tì tóu zuò hé shang
贵族都要剃头做和尚。

hòu lái   táng sēng shī tú bù jǐn méi bèi shā tóu   guó wáng hái kěn qǐng táng
后来，唐僧师徒不仅没被杀头，国王还恳请唐

sēng shōu zì jǐ wéi tú   táng sēng gāo xìng de dā ying le   guó wáng zài guāng lù
僧收自己为徒。唐僧高兴地答应了。国王在光禄

sì yàn qǐng táng sēng shī tú   hái jiāng miè fǎ guó gǎi chéng le qīn fǎ guó
寺宴请唐僧师徒，还将灭法国改成了钦法国。

阅读心得

悟空教训了灭法国国王，使他再也不敢随便杀和尚了，我们要学会用迂回的方式教育别人。

读一读 写一写

颤巍巍

三十三、凤仙郡求雨
sān shí sān　　fèng xiān jùn qiú yǔ

fèng xiān jùn yì lián sān nián méi yǒu xià yǔ　　hàn de jǐng dōu gān le　　hé yě
凤仙郡一连三年没有下雨，旱得井都干了，河也

kū jié le　　lǎo bǎi xìng huó bu xià qù　　zhǐ hǎo táo dào bié chù qù móu shēng
枯竭了。老百姓活不下去，只好逃到别处去谋生。

jùn hóu tiē chū gào shi　　shéi néng qiú lái yì cháng dà yǔ　　sòng bái yín wàn liǎng
郡侯贴出告示：谁能求来一场大雨，送白银万两。

kě shì　　shén me bàn fǎ dōu yòng guo le　　jiù shì bú xià yǔ
可是，什么办法都用过了，就是不下雨。

zhè yì tiān　　táng sēng shī tú qǔ jīng　　zhèng hǎo jīng guò zhè li　　táng sēng
这一天，唐僧师徒取经，正好经过这里，唐僧

kàn le bǎng wén shuō　　tú dì men　　shéi huì qiú yǔ　　gěi tā men qiú yì cháng
看了榜文说："徒弟们，谁会求雨，给他们求一场

yǔ　　wù kōng shuō　　qiú yǔ yǒu shén me nán
雨。"悟空说："求雨有什么难！"

guān yuán men tīng wù kōng zhè me shuō　　lián máng qù bào gào jùn hóu　　jùn hóu lì
官员们听悟空这么说，连忙去报告郡侯。郡侯立

kè zhěng hǎo yī guān　　lái dào jiē kǒu　　jiàn le táng sēng děng rén jiù bài　　shuō　　qǐng
刻整好衣冠，来到街口，见了唐僧等人就拜，说："请

huó fó dà cí dà bēi　　jiù jiu bǎi xìng ba　　yòu yāo qǐng táng sēng shī tú dào
活佛大慈大悲，救救百姓吧！"又邀请唐僧师徒到

tā fǔ zhōng　　táng sēng dā ying le　　shī tú sì rén biàn yì tóng qù le jùn hóu fǔ
他府中。唐僧答应了，师徒四人便一同去了郡侯府。

jùn hóu shè zhāi fàn zhāo dài tā men　　chī wán　　wù kōng yǔ bā jiè　　shā
郡侯设斋饭招待他们。吃完，悟空与八戒、沙

僧站到堂下，悟空念了几句咒语，立刻，正东边一朵乌云落到堂前，东海老龙王敖广变成人样，向悟空施礼，并告诉悟空，下雨容易，但必须有上天的御旨。悟空只好让老龙王先回东海去。

悟空一个筋斗云来到灵霄殿前，求玉帝降旨下雨。玉帝说："凤仙郡郡侯三年前把敬天的供品推倒喂狗，朕很生气，就立了三个誓言在披香殿里，你们带悟空去看看。"

四位天师带悟空到披香殿里，见有一座十丈高的米山，一只小鸡在慢慢啄食；一座二十丈高的面山，一只哈巴狗在慢慢地舔吃；铁架上挂着一把金锁，下面有一盏灯，火焰烧着那指头粗的锁梃。悟空不知道是什么意思。

天师告诉悟空，玉帝要等鸡啄尽了米山，狗舔尽了面山，灯焰烧断了锁梃，才给凤仙郡下雨。但又告诉悟空，如果做一些慈善的事，惊动了上天，米、面山立刻就倒，锁梃也就断了。

悟空回到地面，郡侯领着官员和百姓，都跪在地上迎接。悟空指着郡侯骂道："都怪你胡闹，害苦了老百姓。玉帝老一意孤行，非要等到米山、面山被小鸡、小狗吃尽，锁梃被灯火烧断，才肯下雨！"

八戒笑着说："有什么难的！等老猪变出法身，一顿把米山、面山吃光，折断金锁，这里就能下雨了！"

悟空说："呆子！玉帝成心为难，怎么会让你去帮忙？"

郡侯跪在地上，连连磕头："只要救活一方百姓，让我怎么做都行！"悟空见他真心，就说："让全郡的人都做好事，一起念佛，请佛祖帮忙便能闯过玉帝的关卡。"

郡侯听了，发誓一心向佛，立刻召集本地的僧道，开始建道场。郡侯领着文武官员天天焚香礼佛，祭拜天地。同时又传出飞报，命令城里城外大家小户，不论男女老幼，也都要烧香拜佛。

悟空又驾云去找玉帝求雨。玉帝叫人去披香殿查看，果然米山、面山都倒了，锁梃也断了。这时，凤仙郡的土地神、城隍神、社令神都来拜奏，说凤仙郡所有人家天天烧香拜佛，一心向善，玉帝听了十分高兴，忙下令降雨。

孙悟空立刻和邓、辛、张、陶四位神仙一起来到凤仙郡境内，在半空中作法下雨。大雨下了一天，足有三尺多深。孙悟空又让各位神仙在半空中现身，让凤仙郡的百姓亲眼看看。郡侯见后，召集郡

zhōng bǎi xìng yì qǐ diǎn xiāng kòu bài shén xiān　　yí ge shí chen yǐ hòu　　gè wèi shén
中百姓一起点香叩拜神仙。一个时辰以后，各位神

xiān cái huí qù
仙才回去。

sūn wù kōng àn luò le yún tóu　　huí dào jùn hóu fǔ　　duì shī fu shuō
孙悟空按落了云头，回到郡侯府，对师父说：

xiàn zài jiàng yǔ wán bì　　mín xīn ān dìng　　wǒ men kě yǐ zǒu le　　jùn
"现在降雨完毕，民心安定，我们可以走了。"郡

hóu jiàn wǎn liú bu zhù　　jiù jí hé quán jùn de dà xiǎo guān yuán　　chuī zòu zhe gǔ
侯见挽留不住，就集合全郡的大小官员，吹奏着鼓

yuè　　dǎ zhe gè zhǒng qí zi　　sòng tā men zǒu le sān shí duō lǐ　　hái shě bu
乐，打着各种旗子，送他们走了三十多里，还舍不

de fēn bié　　zuì hòu hái yī yī bù shě de mù sòng tā men lí qù　　zhí dào kàn
得分别。最后还**依依不舍**地目送他们离去，直到看

bu jiàn shēn yǐng cái huí jùn chéng
不见身影才回郡城。

阅读心得

　　凤仙郡百姓一起烧香念佛，终于感动了玉帝，大旱得到缓解。我们做事要有诚心，才能得到别人的帮助。

好词积累卡

动词

发誓　　挽留

三十四、钉耙会除妖

唐僧骑着白龙马，领着徒弟们继续西行，这一天，他们走到玉华国，街道上的行人都来看热闹，取笑说："我们这只有降龙伏虎的高僧，没见过降猪伏猴的和尚。"八戒忍不住，把嘴一噘，说："你们可看过降猪王的和尚？"满街的人，吓得跌跌爬爬，不敢近前。

玉华国国王有三个小王子：大王子使棍，二王子使耙，三王子使杖。他们听说来了三个妖模怪样的和尚，就用兵器来降妖。

悟空见大王子拿个棍子，跳来跳去的，就从耳朵里取出金箍棒，晃一晃，有碗口粗，两三丈长，往院子里一捣，竖在那儿，笑着说："你要拿

得动，我就送给你！"大王子一听，真的上来拔

棍，累得脸红脖子粗，金箍棒就像在地上扎了根

一样，一动没动。

二王子双手抡耙去打八戒。八戒笑道："你

那耙只能算我这耙的孙子！"用手一擦钉耙，钉耙

放出五彩霞光，吓得二王子不敢乱动。

三王子用根乌黑的棒子来打沙僧。沙僧一手劈

开，抡起宝杖，闪闪发光。

悟空轻轻拿起金箍棒，跳上天空，脚踏彩云，

舞动金箍棒。八戒看得高兴，也跳起来，耍开了钉

耙。兄弟三人各显神通，打得满天霞彩。

三个小王子看得着了迷，非要拜师学艺。悟空

三人便将自己的武艺传给他们，并让他们照着金箍

棒、九齿钉耙、降妖宝杖的样子，打造兵器。

那三件兵器都是天上至宝，日夜放出万道霞

光。离城七十里，有座豹头山，洞里有个黄狮精，

他看见金光，便
驾云来到玉华国，
认出这是三件
宝贝，就使了妖
法，把宝贝一块儿
偷了回去。

第二天天亮
时，铁匠们走
进棚子干活，却找不到三件兵器，慌忙报告王子。
王子们不敢耽误，连忙去问三位师父是不是已经收回
了兵器。猪八戒怀疑是铁匠偷去的，挥着拳头就要打。
铁匠们哭着说："我们是凡人，怎么能拿得动呢？"
　　吵闹的声音惊动了国王，他走来问明了事情
的前因后果，说："我们家在这个城里居住了五代
人，从来没有过盗贼。"孙悟空问："城外的四周围
是否出现过什么妖怪？"国王说："城北三十里的地

方有座豹头山，山中有个虎口洞，有人说洞中有神仙；也有说是妖怪的，不知道是真是假。"

孙悟空断定武器是被妖怪偷去了，就命令猪八戒、沙僧保护好师父，然后便一下子飞到豹头山上。他远远地看见两个长着狼头的小妖走了过来，就摇身一变，变成了一只蝴蝶，飞到小妖的头上，他听见小妖说："大王才得了美人，昨晚又收回来三件兵器，真是好运气！"

原来黄狮精得到三件兵器后，要开个钉耙会来庆贺，命令这两个小妖下山去买猪羊。孙悟空听明白后，现出了本来的面目，用定身法定住了小妖，摘下了小妖的银子包裹，又从他们腰间取下了粉漆牌，那上面一个写着"习钻古怪"，另一个写着"古怪习钻"。

孙悟空拿着这些东西，驾云返回玉华国，向玉华国国王父子报告所见之事，又把那包银子赏给

shòu le yuān qū de tiě jiàng
受了冤屈的铁匠。
tā ràng guó wáng zhǔn bèi le jǐ tóu zhū yáng
他让国王准备了几头猪羊，
ràng shā
让沙

sēng jiǎ bàn fàn zhū yáng de kè shāng
僧假扮贩猪羊的客商，
zhū bā jiè biàn chéng
猪八戒变成
diāo zuān gǔ guài
"刁钻古怪"，

tā zì jǐ yòu biàn chéng
他自己又变成
gǔ guài diāo zuān
"古怪刁钻"，
jiù zhǔn bèi qù chú yāo
就准备去除妖。

tā men zhǔn bèi hǎo yí qiè hòu
他们准备好一切后，
gǎn zhe zhū yáng jìn le shān
赶着猪羊进了山，
zhèng hǎo yù
正好遇

jiàn yí ge xiǎo yāo guài pěng zhe qǐng tiě xiá zi
见一个小妖怪捧着请帖匣子，
qù
去

zhú jié shān qǐng jiǔ qū pán huán dòng de jiǔ líng
竹节山请九曲盘桓洞的九灵

yuán shèng míng tiān lái fù dīng pá yàn
元圣明天来赴钉耙宴。
sūn
孙

wù kōng ná guò tiě zi kàn le
悟空拿过帖子看了

kàn hòu
看后，
huán gěi xiǎo yāo
还给小妖，
tā men
他们

gè zǒu gè de lù
各走各的路。
tā men
他们

yì zhí bǎ zhū yáng gǎn dào le
一直把猪羊赶到了

hǔ kǒu dòng de mén wài
虎口洞的门外。

yāo mó huáng shī jīng tīng
妖魔黄狮精听

dào shēng yīn hòu
到声音后

zǒu chū dòng lái
走出洞来。

sūn wù kōng jiù jiǎ shuō qiàn
孙悟空就假说欠

了客商五两银子，黄狮精就命令一个小妖进洞去

取。孙悟空见不能进洞，着急了，于是他就说："这

位客商也想开开眼，看看我们的钉耙会。"黄狮精

听了很不高兴，说："你怎么跟人家乱讲话呢？"

黄狮精还没答应，孙悟空就拉着沙僧、八戒跑

进洞中。他们进洞后，看见大厅正中的石桌上供

奉着他们的三件兵器。黄狮精赶紧跟了进来，在他

们身后叮嘱说："这位客商，中间摆放的那把就是钉

耙，你只许看，出去后可不许乱说。"

猪八戒看见了他的钉耙，就再也沉不住气了，他

跳上石桌，一把抢到他的钉耙，现出本来的面目，

照着黄狮精就打过去。孙悟空和沙僧也跳上石桌，

各自拿了兵器，现出原样。

黄狮精呆住了，慌忙取出一柄四明铲，大

声问："你们是什么人，敢来抢我的宝贝？"

悟空骂道："贼妖精！我们是取经的和尚，路过

这里。你偷了我们的兵器，要开'钉耙会'，现在就让你尝尝它们的厉害！"说着，与八戒、沙僧一起，围住了妖精。妖精打不过三人，耍个**虚招**，向南跑去。

悟空兄弟三人打死群妖，烧毁妖洞，带着搜出的宝贝，驾云返回玉华国。对国王说："那妖精是个金毛狮子。刚才往东南方跑了，大概是请它的祖师去了。你们放心，我们一定把妖精消灭干净。"

阅读心得

　　猪八戒在没弄清事实之前，就责怪是铁匠偷去了兵器，这很不对，我们不能急于下定论，冤枉好人。

读一读　写一写

跌跌爬爬

三十五、收服九头怪

　　孙悟空领着八戒、沙僧打跑黄狮精，夺回了兵器。黄狮精急忙跑到竹节山求救。老妖王九灵元圣是个九头狮子精，神通广大，小狮子精都叫他爷爷。

　　九头狮子精听说黄狮精被孙悟空打败，就领着小狮子精们来给他报仇。他们喷云吐雾，一直来到玉华国城外，向悟空挑战。

　　在云雾之中，一群杂毛狮子簇拥着九灵元圣赶了过来。孙悟空他们三个人举着兵器迎上去。黄狮精一见猪八戒，气得举起四明铲就打了过来，猪八戒抡起钉耙迎战。双方在玉华城上空展开了一场恶战。猪八戒一招没有当心，被黄狮精擒住了。

　　沙僧看到这种情况，着了急，也败下阵来。

孙悟空急忙拔下了一把毫毛，放在嘴中嚼碎喷了出去，变出了一百多只小猴子。小猴子们围着狮妖又撕又咬，众狮妖被吓得慌成一片，各自逃命。沙僧帮助孙悟空捉住了两个狮妖，一齐押回城楼。

第二天，黄狮精又带着四个狮妖来到玉华城上空，要孙悟空他们出去迎战。孙悟空和沙僧各自运用谋略，和五个狮子精打得难分上下。就在这时，九灵元圣驾着一团黑云径自到了城楼上，他的九个头都张开血盆大口，抓走了唐僧和玉华国国王父子。

孙悟空听见城楼上有人呼叫，就知道中了计，他急忙叫沙僧小心一点，然后又拔下胳膊上的全部毫毛，放入口中嚼碎喷了出来，变出千百个孙悟空，一齐拥上去攻打狮精，五个狮精有的被打死，有的被抓住。

他俩回到城中，王妃哭着告诉孙悟空说玉华国国王父子和唐僧都被九头狮子怪用法术捉走了。孙悟空安慰了王妃一阵。第二天清早，孙悟空和沙僧来到竹节山，找到了盘桓洞，九灵元圣听到小妖说，孙悟空和沙僧来了，也不穿盔甲，也不拿兵器，大摇大摆地走出洞门。

孙悟空和沙僧一看见老妖，就各自举起兵器打了上去。那个老妖把头一摇，又变出了八个头，他的九个头一齐张开大口，把孙悟空、沙僧衔住，带回洞里，让小妖绑起来。他命令小妖先打孙悟空一顿，为黄狮精报仇，可是一直打到天黑，棍棒打折了一堆，孙悟空也没有事。

夜深了，老妖和小妖们都睡熟了，孙悟空用了个法术把身体变小，从绳子里脱身出来，取出金箍棒，朝小妖头上轻轻一敲，小妖就变成了肉饼。他帮八戒和沙僧解开绳子，一起逃走。老妖知道了，赶忙来追，沙僧跑得慢，又被抓住了。

孙悟空逃走后，叫来了当地的土地神向他询问老妖的来历。

土地神对他说："那个老妖是前年才从天上降到竹节山的，如果想降伏他，就得

去东天门请他的主人太乙救苦天尊前来帮忙。"孙悟空听完，就驾起筋斗云直奔东天门，找太乙救苦天尊去了。

见到太乙救苦天尊，孙悟空说明了来意。天尊就命令身旁的大将到狮子房把狮奴叫来问话。原来狮奴偷喝了一瓶酒，沉睡了整整三天三夜，九头狮子私自逃到凡界去了。天尊就带领众神仙和狮奴一齐前往竹节山。

来到竹节山，天尊让孙悟空先去把老妖引出来。老妖在洞中听见孙悟空在外面又是叫骂又是打门，心中非常生气，于是走出洞张口就咬孙悟空。孙悟空早就有了准备，他转身跳到高崖上面，大骂："大胆的妖精，你不知死活，你的爷爷在这儿呢！"

天尊念了声咒语，那个妖怪见是自己的主人，四脚伏在地上，现出了原形。狮奴跑过去，抓住了狮子脖子上的毛，边打边骂，然后把锦布的坐

垫安放在狮子的背上，天尊骑了上去，大喊一声
"走！"那狮子就腾空驾起彩云，返回了东天门。

孙悟空进到洞中，给玉华国国王父子、师父和师弟们一一松了绑，带领他们走出盘桓洞。猪八戒放把火，把洞烧了。他们师兄弟三人各自施法术，把玉华国国王父子和唐僧送回到城中。玉华国又恢复了安宁。

阅读心得

    师兄弟三人除掉妖怪，营救出玉华国国王父子，使玉华国又恢复了安宁，我们在生活中也要经常做好事。

日积月累

近义词：生气——发怒　　　　反义词：生气——高兴

sān shí liù guān dēng yù niú guài
三十六、观灯遇牛怪

jīn píng fǔ gǔ shí liú xià yí ge guī ju　　měi nián yuán xiāo jié zài jīn dēng qiáo
金平府古时留下一个规矩：每年元宵节在金灯桥

shang yòng sū hé xiāng yóu diǎn jīn dēng　　zhè zhǒng yóu fēi cháng zhēn guì　　měi nián yào
上用酥合香油点金灯。这种油非常珍贵，每年要

huā qù hǎo duō yín zi　　jù shuō　　fó zǔ xǐ huan zhè zhǒng xiāng yóu　　nián nián dōu
花去好多银子。据说，佛祖喜欢这种香油，年年都

yào bǎ yóu shōu zǒu　　suǒ yǐ　　shéi yě bù gǎn zǔ zhǐ
要把油收走，所以，谁也不敢阻止。

táng sēng shī tú qǔ jīng lái dào zhè li　　zhèng gǎn shàng yuán xiāo jié　　miào li
唐僧师徒取经来到这里，正赶上元宵节，庙里

de hé shang yāo tā men qù kàn jīn dēng　　tā men zǒu zài jiē shang　　bàn kōng zhōng tū rán
的和尚邀他们去看金灯。他们走在街上，半空中突然

xiǎng qǐ le hū hū de fēng shēng　　xià de kàn dēng de rén lián máng sì chù duǒ bì
响起了呼呼的风声，吓得看灯的人连忙四处躲避。

sēng rén men dōu shuō　　fēng lái le　　shì fó ye kàn dēng lái le　　wǒ men gǎn kuài
僧人们都说："风来了，是佛爷看灯来了，我们赶快

huí qù ba　　táng sēng tīng shuō hòu jiù yào liú xià lái bài fó　　qǐng kè zhī jiān
回去吧！"唐僧听说后就要留下来拜佛，顷刻之间，

fēng zhōng guǒ rán chū xiàn le sān zūn fó shēn　　táng sēng huāng máng guì xià cān bài　　sūn
风中果然出现了三尊佛身，唐僧慌忙跪下参拜，孙

wù kōng yí kàn què shì sān ge yāo guài
悟空一看却是三个妖怪。

sūn wù kōng hái méi lái de jí zhāng kǒu　　yí zhèn kuáng fēng guā guò lái　　táng
孙悟空还没来得及张口，一阵狂风刮过来，唐

194

僧立刻就不见了。猪八戒急得**东找西找**，沙僧也四处呼喊。孙悟空说："兄弟们不用再叫了，师父已经被妖精捉走了！你们两个和其他的僧人一起回寺看守行李、马匹，我去追这股狂风！"说完就直奔而去。

孙悟空追到天亮，风突然停了，孙悟空落在一处山崖上，正在寻找路径，就看见有四个人赶着三只羊走了过来。孙悟空用他的火眼金睛仔细一看，原来是年、月、日、时四位神仙变的，他们特地来告诉悟空：这座山叫青龙山，山上有个玄英洞，里面住着三个妖精。

孙悟空来到妖精的洞府，就站在大门口高

喊："妖怪，快点把我师父送出来，不然把你们都打死！"

避寒、避暑、避尘三个老妖抓住唐僧，正要用香油煎着吃，得知悟空赶来，便出门**迎战**。这三个老妖很有特点：两只角分别长在脑门和鼻梁上，身体高大粗壮，特别有力气。手下小妖也很凶猛，悟空一时占不了上风，就跑回去叫来八戒和沙僧。

月光下，妖精都睡着了，洞里一片打呼噜的声音。悟空变成个萤火虫，悄悄地飞进去找唐僧。唐僧正哭呢，看见萤火虫，心想：寒冬时节哪会有萤火虫呢，一定是悟空！悟空刚救下师父，就被妖精发现了，只好自己先跑出洞去。八戒、沙僧一齐上阵帮忙，也不是妖精的对手，两个人都被捉进妖洞。

孙悟空离开了玄英洞，一直奔向九重云霄，到天界去搬**救兵**。他在西天门遇上太白金星。太白金星听了孙悟空讲述的遭遇，说那三个妖精是犀牛精，只要四木禽星下界去就能降伏三妖，说着就带孙悟空到灵霄宝殿，向玉皇大帝奏明。

玉帝派四木禽星下到凡界降妖。四木禽星接到御旨，就和孙悟空一齐驾云来到了青龙山玄英洞上空。四木禽星说："大圣，你先去找那三个妖精讨战，把妖精引出来，我们再跟着动手。"

孙悟空到洞门前一阵叫骂。三个妖王气得率领着小妖出了洞门，摆了个圈子阵，把孙悟空围困在阵中间。四木禽星从天上降下来，各自抡起兵器，喊道："造孽的畜生，不准动手！"大小妖们一看见四木禽星，都现出了原来的样子，满山乱跑。

三个妖王也现出了原来的模样，原来是三只犀牛精，他们一直向着东北方向逃去。孙悟空和四木禽星中的两个紧追不舍。另外两个在山谷里和山头上把那些牛精活捉的活捉，打死的打死，然后进到洞中救出了唐僧、猪八戒和沙僧。

悟空和四木禽星中的两个驾着云一直追到了西洋大海，见妖精"嗖"地一下钻进水里，他们也跟着钻了进去。三妖见他们紧追不舍，吓得又朝海中心逃去。巡海夜叉看到了，急忙回水晶宫给龙王报告。老龙王命太子带领兵士去帮忙。

太子率领着虾兵蟹卒杀出水晶宫，挡住了犀牛精的去路。犀牛精被前后夹击，就慌忙**四处逃窜**。那个避尘被太子率领的士兵扳倒在地，士兵抓着他的四个蹄子捆在一起；避寒的脖子被四木禽星一口咬断了；避暑也被抓住了。

他们来到水晶宫里，锯下了避寒的角，孙悟空带在身上，和四木禽星押上避暑和避尘，告别了龙王，驾着云回到了金平府。孙悟空在空中大叫，告诉居民们天神已经降伏了犀牛精，从今以后再不要献酥合香油供金灯了。

sì mù qín xīng ná shàng le xī niú jiǎo　　hé sūn wù kōng gào bié　　jiù jià
四木禽星拿上了犀牛角，和孙悟空告别，就驾

shàng cǎi yún huí dào tiān gōng qù le　　guān fǔ tiē chū gào shi　　cóng cǐ bú zài nián
上彩云回到天宫去了。官府贴出告示，从此不再年

nián liǎn qián　　zào sū yóu　　diǎn jīn dēng　　lǎo bǎi xìng gǎn xiè táng sēng shī tú
年敛钱，造酥油，点金灯。老百姓感谢唐僧师徒，

dōu lái qǐng tā men fù yàn　　táng sēng bú yuàn dǎ rǎo bǎi xìng　　jiào shàng tú dì qiāo
都来请他们赴宴。唐僧不愿打扰百姓，叫上徒弟悄

qiāo de zǒu le
悄地走了。

阅读心·得

　　悟空初见避寒、避暑、避尘三个老妖凶猛粗壮，没有用蛮力与其作战，而是在想对策，我们应对不同情况时要用不同方法。

好词积累卡

形容词

珍贵　凶猛

三十七、招亲逢玉兔

sān shí qī　　 zhāo qīn féng yù tù

tángsēng shī tú wèi le zǎo yì tiān qǔ dào zhēn jīng jiā kuài le jiǎo bù　　zhè yì
唐僧师徒为了早一天取到真经加快了脚步，这一

tiān　　 tā men zhōng yú lái dào tiān zhú guó　　 lí xī tiān dà léi yīn sì zhǐ shèng xià
天，他们终于来到天竺国，离西天大雷音寺只剩下

liǎngqiān lǐ lù　　 dà jiā de xīn qíng dōu hěn qīng sōng
两千里路，大家的心情都很轻松。

bàng wǎn　　 qián bian gāo shān zǔ lù　　 shān xia yǒu zuò sì miào　　 mén shang
傍晚，前边高山阻路，山下有座寺庙。门上

xiě zhe　　 bù jīn chán sì　　 táng sēng shuō　　 zhè li shì bu shì dào le shě wèi
写着：布金禅寺。唐僧说："这里是不是到了舍卫

guó　　 bā jiè shuō　　 zhēn guài　　 zǒu
国？"八戒说："真怪，走

le zhè me
了这么

yuǎn　　 shī fu
远，师父

cóng méi rèn guo
从没认过

lù　　 zěn
路，怎

me lí jiā
么离家

yuè yuǎn dào rèn lù
越远倒认路

了?"唐僧说:"佛经上有个舍卫国长者用黄金铺地的故事,或许就是这里。"八戒笑道:"那正好,我们也进去摸块金砖。"

晚上,唐僧在寺院后园散步,忽然听见一阵女子的哭声,哭得唐僧心酸。庙里的老和尚告诉唐僧,这姑娘是前年一个晚上被风刮来的,她自称是天竺国的公主。可是老和尚几次进城,却听说公主在宫里平安无事,只好把她锁在小房子里,对人说是锁了个妖精。女子白天装疯,晚上却想家,哭个不停。老和尚请求唐僧帮忙,打听一下公主的消息。第二天,唐僧师徒走进天竺城,看见城里到处张灯结彩,人们拥拥挤挤的,都去看公主抛绣球,招驸马。

悟空说:"我们也去,顺便看看公主的情况。"悟空和唐僧二人便随着人群走到了彩楼下。

原来,有个妖精推算出唐僧一定从这里经过,就提前跑来，用一阵风把公主刮走，自己就变成公主，在十字街头搭好彩楼等着。

假公主看见唐僧，喜上心头，拿过绣球，轻轻一抛，正好打在唐僧的帽子上，唐僧吃了一惊，抬手一扶帽子，绣球骨碌一下，滚进袖子。楼上的宫女惊叫道："打着和尚了！"

想做驸马的王孙公子们，都挤上来抢绣球。悟空把腰一伸，现出丑相，吓得那些人连滚带爬跑开了。唐僧急坏了，对悟空说："你这猴子又在捉弄我！这可怎么办？"话没说完，一群宫女走出来对唐僧说："恭喜贵人！"拥着他就往宫里走。

国王见女儿领个和尚进来，心里很不高兴。假公主说，这是天意，国王不能失信于民。国王一想有道理，就下令招唐僧做驸马。唐僧推托不开，只好把徒弟们叫来，嘱咐几句话。

悟空嘻嘻哈哈地回到旅馆，告诉八戒、沙僧，师父中了绣球。八戒一听，自己竟错过了这么好的事，后悔得直跺脚。沙僧羞他说："要是打中你，往外推都怕来不及呢，谁敢招你！"

国王下令，让悟空三人去取经，把唐僧留下做驸马。悟空一口答应，接过公文，领着八戒、沙僧，转身就走。

唐僧慌了，跑下来，一把拉住悟空说："你们真的不管我了？"悟空用手掐了他一下："师父只管在这儿享福，我们以后再来看你。"唐僧弄不清悟空捣的什么鬼，当着人不好多问，只得放了手。悟空走出不远，就让八戒、沙僧躲起来，自己变成个小蜜蜂，飞进王宫，落到唐僧头上，悄声在他耳边说："师父，别发愁，我来了。"唐僧这才放了心。

过了一会儿，宫女们簇拥着公主来参加婚礼。悟空睁开火眼金睛仔细一看，看出公主头上的妖气，就对唐僧说："师父，公主是个假的。"唐僧说：

"等一会儿再抓她，别惊吓了国王。"

悟空一生性急，见了妖精，哪能等待。他大喝一声："好个妖精，还想害人！"拔出金箍棒，照头就打。妖精见自己露了馅儿，就脱去衣服，从御花园里取出一条短棍，照着悟空乱打。

唐僧急忙对国王说："公主是个假的，悟空正在降妖。"国王这才知道自己受了骗。

悟空见妖精用的短棍一头粗，一头细，满天乱舞，一时找不到破绽。就把金箍棒往天上一扔，说声"变"，金箍棒一变十，十变百，变出满天金箍棒，困住了妖精。妖精慌了，化成一股清风，藏进一座高山。

悟空四下寻找，不见妖精的踪影，就念声咒语，把土地神拘了来。土地说山上只有三个兔窝。于是领着悟空，挨个找寻。找到山顶，看见一块大石头堵住了洞口。

悟空撬开石头，妖精"呼"的一声跳出来，边打边跑。悟空正要一棒打死它，忽见彩云飘飘，嫦娥仙子赶来，叫："大圣别打死它！它是月宫的玉兔，偷偷下凡，干了坏事，请大圣饶它死罪！"悟空说："怪不得它的捣药杵使得这么好，原来是月宫捣药的玉兔！既然如此，就饶了它吧！"

那妖精在地上一滚，现了原形，原来是只洁白可爱的小兔。嫦娥抱着玉兔，来到天竺国，向国王说明了真相，回到了月宫。

悟空领着国王和王后，又回到布金禅寺，救出真公主。国王一家团圆了。

阅读心得

悟空逼妖精变回原形，真公主终于可以和家人团聚了，我们要像悟空一样，多做好事、善事。

三十八、如来赐真经

唐僧师徒走过**万水千山**，经历了许多令人难以想象的磨难，终于来到西天。师徒四人一边欣赏灵山仙境风光，一边愉快地向大雷音寺走去。

走着走着，一条大河出现在眼前。河面宽阔，水流湍急。唐僧伸长脖子望了半天，连个人影也没有，满脸**疑惑**地问："悟空，我们是不是走错了路？"

"师父，没错！"

"既然没错，我们怎么过呀？"

正说着，从下游撑来一只船。船公高叫："摆渡，摆渡，有人的上船！"

悟空火眼金睛，认出是那接引佛祖，故意不说出来。

船到岸边，唐僧见是一条无底船，说什么也不敢上。

悟空趁他不注意，用力一推，唐僧"扑通"一声掉进船里。

唐僧边抖衣服边**埋怨**悟空。八戒、沙僧、白龙马也跟着跳上船。

接引佛祖撑开船，唱着山歌，向对岸划去。过了河，唐僧带着徒弟拜见如来。如来高兴地让他们跟随阿傩、伽叶去挑选经卷。可是，走到藏经阁门口，阿傩、伽叶却**拦住**门说："拿见面礼来吧！"

"什么见面礼呀？我们诚心敬

佛，没有准备礼物，请两位方便方便吧！"唐僧赶紧

说。"没有见面礼，就别想取经！"

悟空立刻吵嚷起来："你们竟敢勒索人！好吧，

我们去找如来要经！"阿傩、伽叶拦住说："好了，好

了，不要嚷。给你们经卷就是！"

唐僧师徒驮着经卷，高高兴兴地走了。藏经阁

后的燃灯古佛心中不忍，就叫身边的白雄尊者："东

土来的取经人取走

的经卷是白版的无字

经，枉费了他们一

番辛苦。你追上去

把经卷抢了，让他

们回来再取真经。"

白雄尊者驾云赶上

唐僧师徒，从半空

中伸下手来抢走经

包，悟空抢起金箍棒紧追。白雄尊者害怕被金箍棒打中，便抖散经包，脱身逃跑。

悟空顾不得追赶白雄尊者，连忙去捡漫天乱飞的经书。他打开一看，竟然全是白纸！唐僧叹息道："天哪，我拿着这些白纸，怎么去见东土唐王啊！"悟空生气地说："阿傩、伽叶勒索不成，就用白纸来骗我们！我们回去向他们要！"

他们决定去向如来佛告状。于是，师徒四人又回到雷音寺。

如来佛听悟空讲完后笑着说："这事我早就知道了。其实这本是无字真经，只是你们东土的人看不懂罢了。"

如来佛又安排他们去取经书。这一次，阿傩、伽叶仍然要礼物。唐僧没办法，只好把自己一路上盛饭装水的紫金钵盂给了他们，这才算取到了真经。八大金刚对唐僧师徒说："取经的，跟我来！"唐僧等人连同白马立即飘飘荡荡，驾在云上。一天一夜后，揭谛赶上来，凑在金刚耳边说了一些什么话，金刚听后，把风按住，唐僧四人连马一块儿摔在地上。

原来，观音菩萨在查看唐僧取经路上的历难簿时，发现佛门九九归真，唐僧只受了八十难，还少一难，所以命揭谛去追金刚，让唐僧再遇一难。唐僧等人落地后，发现已经来到通天河西岸，找不到船和桥，没有办法过河。

正在这时候，当年送他们过河的老鼋游了过来，它高兴地驮着他们过河。老鼋一边游，一边问："师父，你问没问佛祖，我修

行多少年才能得到人身？"唐僧这才想起，自己一心拜佛取经，把这事给忘了。他不会说谎，答不上来。

　　老鼋一生气，就潜下水去了。悟空机灵，早就跳上天空，唐僧等人和经卷都落入水中，被浸得湿淋淋的。他们只好停下来晒经书，足足晒了一天，才又上路。最后，唐僧师徒带着经卷回到大唐，完成了太宗皇帝交给他们的任务。

　　唐僧师徒取经有功，如来佛封唐僧为功德佛、悟空为斗战胜佛，猪八戒做了净坛使者，沙僧成了金身罗汉，白龙马变成八部天龙马。这就是唐僧取经的故事。

阅读心得

　　唐僧师徒走遍万水千山，经历了众多磨难，终于取得真经，这启示我们坚持就是胜利。

《西游记》读后感

许　愿

　　《西游记》是一部家喻户晓部经典文学名著。古今中外，已经有不少文学家发表过关于这部名著的评论，所以我不想再对这部名著的内容发表自己的观点，只想对其中的人物形象谈谈自己的想法。

　　这其中，我最欣赏孙悟空的勇敢机智，猪八戒的情感真切，沙僧的任劳任怨，唐僧的善良待人。猪八戒是他们四师徒之中最让读者讨厌的，可是我却不这样认为。他结合了大家的优点，虽然他不如孙悟空那么勇敢机智，但是他也会不停地运用一些自己的思维，在困难面前为大家出主意；虽然他没有沙僧那样任劳任怨，但是他在一路上仍然会帮助大家提东西；虽然他没有唐僧的善良待人，但是他也会动真情。

　　在生活中，有猪八戒特点的人还是比较多的，但是也可以说是最少见的。在新世纪的现代生活中，人们凡事都提倡"爱的教育"，无论对于小孩、年轻人还是成年人。小孩喜欢这样的老师（当然外表除外），因为这种老师比较和蔼，并且对外面的世界还是比较了解的（因为他以前是天蓬元帅，当然了解世事啦），交给大家很多课外知识，从他平时的言语中可以发现他是个比较幽默的人，那么就可以带给大家很多欢乐。学生都比较喜欢这样的老师，不是吗？

 **点评**

　　1. 本文主要通过对人物的描述来展开主题，结构清晰，语言流畅连贯。

　　2. 文章思想较为深刻，耐人寻味。

读《西游记》

郭 佳

读了《西游记》我深有感触，书中的故事情节生动曲折，唐僧师徒取经途中的离奇经历给我留下了深刻的印象。

书中塑造了四个鲜明的人物形象，其中，我最喜欢的是孙悟空，因为他神通广大，技艺高超，保护师父取得了真经，他是我心目中的英雄。他一路保护师父，即使师父误会了他，将他赶走，还不忘叮嘱八戒碰到妖怪要提他的名字，一听师父有难就立即回来救他。他有七十二般变化，一个筋斗就能翻出十万八千里，手中一根金箍棒一万三千五百斤重，敢于与强大势力做斗争，其勇敢的精神令我十分敬佩。

读了这本书，我最大收获是：做一件事要从头做到尾，不管成功还是失败，只要善始善终，就是胜利。

点评

文章结尾结合作者的实际生活，发表感言，升华了主题。